世界でいちばん素敵な

世界遺産の教室

The World's Most Wonderful Classroom of World Heritage

「ヴァレッタ市街」(マルタ)

はじめに

旅がしたい！
そんなとき、テレビ番組や旅行パンフレットを見ると、
『世界遺産』ということばが目に飛び込んできます。

マチュ・ピチュ、モン・サン・ミシェル、アンコール、
グランド・キャニオン、タージ・マハル……。

誰でも心を躍らせ、一生に一度は行ってみたい
世界遺産に想いを馳せることもあるでしょう。

しかし一方、世界遺産は有名観光地のブランドではなく、
次の世代に遺していかなければならない、
大切な地球の宝物でもあるのです。

世界遺産はいくつあるの？
世界遺産はどうやって決まるの？

世界遺産の実態は意外に知られていません。

訪れる前に世界遺産のことをよく知っておけば、
旅がいっそう楽しい思い出になるでしょう。
本書では独自の切り口で、世界遺産の不思議と魅力を伝えています。

さあ、夢とロマンあふれる世界遺産の扉が、いま開かれます。

片岡　英夫

Contents
目次

＊世界遺産の名称は、（公）日本ユネスコ協会連盟の名称に基づいていますが、文脈やデザインの都合上、一部省略している場合があります。
＊記載のデータは、2021年1月時点のものです。

世界遺産 MAP ❶
（ワールド）

❶…文化遺産　　❷…自然遺産　　㉜…複合遺産

※各エリア、国名の50音順に並んでいます。

世界遺産 MAP ❷
（ヨーロッパ）

アイスランド
104　105

ノルウェー
142

ロシア

ロシア

デンマーク

ポーランド

アイルランド
106

イギリス
112
109
111
108
110

オランダ
119
137
ドイツ
139
140
136
141

チェコ
134

ハンガリー
146
145

ルーマニア
162

フランス
148
152
147
150
149
127
128
スイス
129
138
オーストリア
117
118
155

モナコ
151
115
116
149　153
113
サンマリノ
124
クロアチア
ボスニア
ヘルツェゴビナ
123
156
モンテネグロ
161
北マケドニア
120
122

スペイン
130　133
157
132
131
158
ポルトガル

イタリア
144
バチカン
114
アルバニア
ギリシャ
121

マルタ
159

※各エリア、国名の50音順に並んでいます。

ナスカとパルパの地上絵（ペルー）

Q
そもそも「世界遺産」って、なに？

「アブ・シンベルからフィラエまでの
ヌビア遺跡群」（エジプト）のアブ・
シンベル神殿のラムセス2世像。

A ユネスコが定めた
「顕著な普遍的価値」をもつ
建造物や遺跡、景観、自然です。

神殿の移築をきっかけに、文化財保護の機運が高まりました。

1960年、ナイル川上流のアスワンハイダムの建設は、
エジプト新王朝時代のファラオ、ラムセス2世が建造した
アブ・シンベル神殿の水没危機を招きました。
そこでユネスコは世界各国に救済を呼びかけます。
その結果、神殿を丸ごと移築し、人類の至宝は救われたのです。
この出来ごとがきっかけとなり、
歴史的価値のある遺産を守っていこうという機運がうまれます。
1972年11月16日、第17回ユネスコ総会で世界遺産条約が採択。
1975年、20か国が条約を締結、同条約が発効。
そして、1978年に最初の「世界遺産」が誕生しました。

ユネスコって、どんな機関なの?

A 世界平和と福祉への貢献を目的とした、
国連の専門機関です。

パリ（フランス）のユネスコ本部。

ユネスコ（UNESCO）は、国際連合教育科学文化機関（United
Nations Educational, Scientific and Cultural
Organization）の頭文字からとられた名称です。1946年の創設
以来、教育、科学、文化に関するさまざまな事業を展開し、人の心
の中に"平和の砦"（ユネスコ憲章）を築くべく、活動をしています。

ユネスコのロゴには、知恵の神・アテナを祀ったギリシャのパルテ
ノン神殿のモチーフが描かれています（**「アテネのアクロポリス」**）。

Ⓠ 世界遺産条約の内容を教えて！

A 顕著な普遍的価値をもつ遺産を保護するために、
8章全38条が定められています。

世界遺産を簡潔に定義すると、「世界遺産条約に基づき世界遺産リストに登録された人類共有の財産」だといえます。世界遺産条約には、その財産を守り、後世に伝えるためのさまざまな取り決めが定められています。

保全活動に世界遺産基金が活用された**「マラウイ湖国立公園」**（マラウイ）。

世界遺産条約で定められていること

- ・文化遺産、自然遺産の定義
- ・世界遺産委員会や世界遺産基金の設立
- ・世界遺産リストの作成について
- ・各国の国内機関の設置についてなど

★COLUMN★ **"平和の砦"が紛争の原因に**

タイ-カンボジアの国境未画定地域に建つ**「プレア・ヴィヘア寺院」**は、カンボジアの申請により、2008年の世界遺産委員会で世界遺産に登録されました。タイ政府は登録を支持しましたが、国民は猛反発。やがて両国は交戦状態に。2013年、国際司法裁判所（ICJ）は、遺跡周辺の土地を含めてカンボジアに帰属するという裁定を下し、騒ぎは落ち着きましたが、皮肉にも、"平和の砦"であるはずの世界遺産が紛争を招く事例となりました。

プレア・ヴィヘア寺院は、クメール王朝時代のヒンズー教寺院です。

Q
世界遺産は、
どうやって決めるの？

第43回世界遺産委員会（2019年）が開催されたアゼルバイジャンの首都・バクーは、**「城壁都市バクー、シルヴァンシャー宮殿、及び乙女の塔」**として世界遺産に登録されています。

A
年1回の世界遺産委員会で
登録が決定されます。

委員国が21か国選ばれ、委員会が年1回開催されます。

世界遺産委員会の委員国の任期は6年ですが、
自発的に4年で任期を終えるのが通例になっています。

 世界遺産の登録までの流れを教えて！

A 暫定リストの作成から登録まで、決まった流れがあります。

世界遺産を登録するには、申請をする国が世界遺産条約を締結していることが第一条件となります。世界遺産
登録の流れは、以下の通りです。

各国政府

①世界遺産条約を締結
②自国内の**暫定リスト**を作成・提出
③暫定リストに記載された物件のなかから、条件が整ったものを**1件**推薦

ユネスコ世界遺産センター

❶各国政府の推薦書を受理
❷物件の現地調査を依頼

 文化遺産　　　 自然遺産

ICOMOS 国際記念物遺跡会議	**IUCN** 国際自然保護連合
❶調査 ❷調査結果を報告	❶調査 ❷調査結果を報告

 ユネスコ世界遺産センター

世界遺産委員会

候補地を審議し、世界遺産への登録を決定

世界遺産を推薦するには、世界遺産条約の締結が前提ですが、ユネスコに必ずしも加盟している必要はありません。アメリカは、1984年〜2003年までユネスコを一時脱退していましたが、その間にも「**カールズバッド洞窟群国立公園**」（右写真）や「**自由の女神像**」（P.33）が世界遺産に登録されています。

② 世界遺産センターってなに？

A 世界遺産委員会を補佐する事務局の役割をします。

世界遺産リストへの登録推薦書の受理、専門的調査の依頼、世界遺産条約締約国会議と世界遺産委員会の開催・運営、締約国会議と世界遺産委員会での決議の履行や実施状況の報告、保全管理のための予算外資金の確保などを行います。

③ ICOMOSやIUCNってなに？

A 世界遺産委員会の諮問機関の役割を果たしています。

ICOMOS（イコモス）は文化遺産、IUCNは自然遺産を担当します。それぞれの専門分野について、世界遺産条約履行に関する助言、世界遺産委員会文書や会議議題の作成、世界遺産センターの補佐、世界遺産基金の効果的な活用の強化、世界遺産の保全状況の監視、国際的援助の要請の審査などを行います。

2021年の登録を目指す「**奄美大島、徳之島、沖縄島北部及び西表島**」には、2019年10月5日〜12日、IUCNから派遣された2名の調査員が訪れました。写真はアマミノクロウサギ。

同じく2021年の登録を目指す「**北海道・北東北の縄文遺跡群**」には、2020年の9月4日〜15日の間、ICOMOSから1名の調査員が派遣されています。写真は三内丸山遺跡。

Q
文化遺産や自然遺産ってなに？

自然遺産に登録されている**「パーヌルル国立公園」**（オーストラリア）のバングル・バングル山脈では、地球の歴史の一端を垣間見ることができます。

A
人類が作りだしたものが「文化遺産」、
自然が作りだしたものが「自然遺産」です。

人類の歴史が生んだ文化遺産、地形・景観・生態系は自然遺産。

文化遺産、自然遺産のほかに、
両方の価値を兼ね備える複合遺産があります。

文化遺産にはどんなものがあるの？

A 「記念物」「建造物群」「遺跡」が該当します。

世界遺産条約第1章第1条によると、上記の3つに分類されています。

記念物

「ヴェルサイユの宮殿と庭園」（フランス）

ルイ14世の命で建造されたパリ郊外のヴェルサイユ宮殿は、ブルボン王朝の絶対王政期を象徴する記念物です。壁一面に鏡が貼られた「鏡の間」は、見どころのひとつ。

建造物群

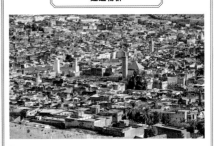

「フェス旧市街」

モロッコのフェスは、イドリース朝の都として栄えました。外敵の侵入を防ぐべく迷路のように細い道が張りめぐらされた旧市街が、往古の姿をとどめています。

遺跡

「ナン・マドール：東ミクロネシアの儀式の中心地」

太平洋に浮かぶ島国・ミクロネシア連邦、ポンペイ島にあるナン・マドール遺跡は、大小さまざまの石で構築された人工島からなる水上遺跡です。

文化的景観

「フィリピン・コルディリェーラの棚田群」（フィリピン）

ルソン島奥地にある棚田は、イフガオ族が2000年にわたって受け継いできました。文化的景観は、文化遺産と自然遺産の境界に位置する「自然と人間の共同作品」といえます。1992年の世界遺産委員会で採択された概念で、世界遺産条約では「遺跡」に含まれます。

「レユニオン島の火山峰、圏谷と岩壁群」
インド洋に浮かぶフランス領のレユニオン島は、いまなお活発に噴火を繰りかえすラ・フルネーズ山の火山活動と、多雨が作りだす自然美が評価され、世界遺産に登録されています。

② 自然遺産にはどんなものがあるの？

A 地球の生成や動植物の進化を示す
「地形」「景観」「生態系」が該当します。

世界遺産条約第1章第2条によると、特徴のある自然の地域、脅威にさらされている動植物の生息地・自生地などが自然遺産の対象となります。

③ 複合遺産について教えて！

A 文化遺産と自然遺産、
両方の価値を兼ね備えた世界遺産です。

世界遺産条約に複合遺産の定義はありません。文化遺産、自然遺産の登録基準（P.22）を、それぞれひとつ以上満たす必要があります。

「ティカル国立公園」
グアテマラに残るマヤ文明の神殿都市遺跡。遺跡としての評価だけではなく、周辺のジャングルの生態系も評価され、世界遺産初の複合遺産となりました。

Q

どうすれば世界遺産に
登録されるの？

A

登録の基準が
文化遺産に6つ、
自然遺産に4つ、
合計10個あります。

登録基準をひとつクリアすれば、顕著な普遍的価値が認められます。

登録基準は通常、ローマ数字で表記されます。
（ⅰ）〜（ⅵ）が文化遺産、
（ⅶ）〜（ⅹ）が自然遺産に適用されます。

Q 登録基準を詳しく教えて！

A 登録基準と代表的な遺産をセットで解説しましょう。

人類の才能（ⅰ）

人類の創造的資質を示す傑作。

「アンコール」
アンコール・ワット（カンボジア）

文化の交流（ⅱ）

建築・技術・都市計画、景観の発展において、価値観の交流を示すもの。

「イスタンブール歴史地域」
アヤソフィア（トルコ）

文明の証拠（ⅲ）

現存する、あるいは消滅した文化的伝統・文明の存在に関する独特な証拠を示すもの。

「ペトラ」
エル・カズネ（ヨルダン）

建築の発展（ⅳ）

人類の歴史において代表的な段階を示す、建築様式、建築技術、景観の顕著な見本。

「モスクワのクレムリンと赤の広場」
聖ワシリー大聖堂（ロシア）

独自の集落（v）

ある文化を代表する伝統的集落や土地・海上利用の顕著な見本。

「ギョレメ国立公園とカッパドキアの岩窟群」
カッパドキアの洞窟住居（トルコ）

大きな出来事（vi）

顕著な普遍的価値をもつ出来事、現存の伝統・思想・信仰・芸術的、文学的所産と関連のあるもの。

「モン－サン－ミシェルとその湾」
モン－サン－ミシェル（フランス）

自然美（vii）

ひときわ優れた自然美や美的重要性をもつ自然現象や地域。

「ハロン湾」
湾内に浮かぶ島々と遊覧船（ベトナム）

地球の歴史（viii）

地球の歴史の各主要段階を示す顕著な見本。

「グランド・キャニオン国立公園」
コロラド川の浸食で削られた大峡谷（アメリカ）

独自の生態系（ix）

生態系や動植物の進化発展に関する生態学的、生物学的過程を示す重要な例。

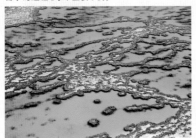

「グレート・バリア・リーフ」
世界最大級のサンゴ礁（オーストラリア）

生物多様性（x）

学術上・環境保護上価値をもつ、生物多様性の保全のための自然生息域。

「アツィナナナの雨林群」
シロクロエリマキキツネザル（マダガスカル）

Q

最初に登録された
世界遺産は何件あったの？

A
12件です。

エチオピアの固有種、ゲラダヒヒが生息
する**「シミエン国立公園」**は、最初に
登録された世界遺産のひとつ。

1978年、最初の世界遺産が 12件誕生しました。

世界遺産条約を最初に批准したのは、
「国立公園」を世界で初めて設立したアメリカです。
世界遺産の最初の保有国には、
アメリカやカナダなど7か国が、名を連ねています。

Q どんな世界遺産が最初に登録されたの？

A 有名なガラパゴス諸島も、最初の世界遺産のひとつです。

エクアドルでは、ダーウィンの『種の起源』で有名な**「ガラパゴス諸島」**のほかに、首都キトの街並みも**「キト市街」**
として同時に登録されています。

最初の世界遺産12件

① アーヘン大聖堂（ドイツ）
② クラクフ歴史地区（ポーランド）
③ ヴィエリチカ・ボフニア王立岩塩坑（ポーランド）→ P.73
④ シミエン国立公園（エチオピア）→ P.26
⑤ ラリベラの岩窟教会群（エチオピア）
⑥ ゴレ島（セネガル）
⑦ メサ・ヴェルデ国立公園（アメリカ）
⑧ イエローストーン国立公園（アメリカ）→ P.2
⑨ ランス・オ・メドー国定史跡（カナダ）
⑩ ナハニ国立公園（カナダ）
⑪ ガラパゴス諸島（エクアドル）
⑫ キト市街（エクアドル）

ガラパゴス諸島でダーウィンは、イグアナやゾウガメ、フィンチが、生息する島ごとに異なった特徴をもつ亜種であることを発見し、進化論に発展させました。

② 2020年時点で、いちばん新しい世界遺産は？

A アメリカにある、
フランク・ロイド・ライトの建築群です。

第43回世界遺産委員会（2019年）でいちばん最後に、1121番目の世界遺産として登録されたのが、**「フランク・ロイド・ライトの20世紀建築作品群」**です。アメリカ国内の8件の建築物が登録対象です。

滝の上に建てられている落水荘は、ライトが実業家のエドガー・カウフマンのために設計した邸宅です。現在は一般公開されています。

③ 毎年、世界遺産はどのくらい増えているの？

A ここ10年は20件前後で推移しています。

世界遺産委員会の審議件数の上限は45件で、2020年から35件に縮小することが決められています。2000年の登録数61件が最多記録で、2010年以降は19件〜29件の間で推移しています。2020年以降、各国が一度に推薦できるのは1件のみになるため、登録件数が一度に大きく増えることはないと予想されます。2020年現在、世界遺産は1121件にも及びます。

★COLUMN★ 記念すべき世界遺産1000件目は？

世界遺産委員会では通常、自然遺産→複合遺産→文化遺産の順番で審議が行われます。ところが、2014年の第38回世界遺産委員会では、文化遺産から審議を始め、999番目の登録物件で審議を止めて、ボツワナの**「オカバンゴ・デルタ」**の審査を差しはさんで登録を決めて、再び残りの文化遺産の審議をしました。その結果、オカバンゴ・デルタが、1000件目の世界遺産として登録されました。世界最大級の内陸デルタで、アフリカゾウやカバなどの大型哺乳類の楽園であるオカバンゴ・デルタは、確かに、この年最大の目玉物件でした。もしかしたら、1000件目を話題の遺産にするための調整が行われたのかもしれません。

オカバンゴ・デルタの2万平方キロメートルもの広大な湿地帯には、水を求めて多くの野生動物がやってきます。

Q
イースター島のモアイは、世界遺産？

A
モアイのあるラパ・ヌイ国立公園が
登録されています。

世界的なモニュメントから、いにしえの息吹を感じる遺跡まで。

みなさんもご存じの多くの名所や観光スポットが
世界遺産に登録されています。
人類共有の宝は、大切な観光資源でもあるのです。

あのマチュ・ピチュは世界遺産？

A　もちろん、世界遺産です。

天空の都市遺跡は、誰もが死ぬまでに一度は行きたいと思う名所のひとつでしょう。ペルーの**「マチュ・ピチュの歴史保護区」**は、1983年に複合遺産として世界遺産に登録されました。石造りの建造物や狭小な土地で畑作をするための灌漑設備などに、インカ文明の技術の高さがうかがえます。

歴史保護区の周辺は、生物多様性の面でも評価されています。野生のランの自生地としても、知られています。

マチュ・ピチュは、アメリカ人歴史学者のハイラム・ビンガムが発見しました。

② 自由の女神も世界遺産？

A はい、世界遺産です。

あまりにも有名な**「自由の女神像」**は、1984年に世界遺産に登録されました。技術の粋を尽くした傑作というだけでなく、"自由の象徴"としての崇高なメッセージ性が評価されました。

アメリカ独立100周年を記念して、フランスから寄贈された巨像は、彫刻家・バルトルディが制作。右手に松明を掲げ、左手に独立宣言書を抱えています。

---

③ 中国の万里の長城も世界遺産？

A はい、これも世界遺産です。

「万里の長城」は1987年に、5つの登録基準を満たして、世界遺産に登録されました。地球最大規模の建造物ですが、登録箇所は八達嶺長城、山海関、嘉峪関の3か所のみです。

中国の春秋戦国時代、各国が競って築いた防壁を、秦の始皇帝が整備したのが、長城のはじまりです。八達嶺には、多くの観光客が訪れます。

★COLUMN★
世界三大陵墓はすべて世界遺産

クフ王のピラミッド、始皇帝陵、大仙陵古墳（仁徳天皇陵）は、世界三大陵墓といわれます。ピラミッド、始皇帝陵は早い段階で世界遺産に登録されていましたが、2019年、大仙陵古墳が**「百舌鳥・古市古墳群」**（大阪府）のひとつとして仲間入り。晴れて3件そろっての世界遺産登録となりました。

エジプトの**「メンフィスとその墓地遺跡 – ギーザからダハシュールまでのピラミッド地帯」**には、クフ王のピラミッド（ギーザの大ピラミッド）、カフラー王のピラミッド、メンカウラー王のピラミッドも含まれます。

有名観光地なのに
世界遺産に登録されていない
場所ってある？

A

ナイアガラの滝は
絶景として有名ですが、
世界遺産には
登録されていません。

アメリカとカナダの国境に位置す
るナイアガラの滝は、世界三大
瀑布のひとつとされています。

すべての名所・旧跡が、
世界遺産なわけではありません。

世界遺産に求められるのが「真正性」と「完全性」。
世界遺産に登録したくてもできないケースや、
国の思惑で世界遺産にしないケースもあります。
ナイアガラの滝は、観光業や水力発電などの産業の影響で、
自然本来の姿をとどめていないことが未登録の理由とされています。

世界三大瀑布の残りの2つは、
世界遺産なの？

A ヴィクトリアの滝とイグアスの滝は世界遺産です。

「モシ・オ・トゥニャ／ヴィクトリアの滝」、**「イグアス国立公園」**のイグアスの滝は、いずれも自然美などが認められて世界遺産に登録されています。ちなみに、ヴィクトリアの滝はジンバブエとザンビアが共同で世界遺産に登録、イグアスの滝はブラジルとアルゼンチンがそれぞれ別に世界遺産に登録しています（P.46）。

ベネズエラの秘境、**「カナイマ国立公園」**にあるエンジェルフォールは、落差979メートルという世界一の落差を誇る美しい滝で、世界遺産の登録範囲内にあります。ちなみに、エンジェルは発見者の名前です。

② 有名なのに登録されないのはなぜ？

A 「資源採掘を止めたくない」「正しく修復されていない」など、さまざまな理由があるようです。

SNS映えする絶景として一躍有名になったボリビアのウユニ塩湖は、今後も世界遺産に登録されることはないと考えられます。電気自動車の電池や医薬品の原料として需要が見込まれるリチウムの埋蔵量が、世界屈指とされているからです。世界遺産に登録されると、その保護・保全のためにさまざまな規制が課されるため、国の意向で登録を見送る遺産も少なくありません。

絶景として知られるウユニ塩湖は、塩原に張った水が湖面上を歩く人の姿を鏡のように映します。

イタリア・ミラノを代表するドゥオモも有名な場所ですが、世界遺産には登録されていません。

③ 「真正性」「完全性」ってなに？

A 「真正性」は文化遺産に必須の条件、「完全性」は、文化遺産・自然遺産の両方に求められる条件です。

「真正性」は、主に建造物や遺跡などの文化遺産が持つ本物の芸術的・歴史的な価値、つまりオリジナリティを保っているかどうかを意味します。「完全性」は、遺産の価値を構成する必要条件がすべて揃い、遺産を保護できる十分な面積の確保や法体制が整備されていて、開発や管理放棄などの負の影響がないことを意味します。

★COLUMN★ 世界初！ 世界遺産縮小の顛末

ジョージアのバグラティ大聖堂は、かつて**「ゲラティ修道院」**とともに世界遺産に登録されていましたが、ジョージア正教会が建設当時のデザイン・素材・工法を無視して修復。その結果、政府はゲラティ修道院単独での登録を申請し、"縮小"が認められました。

コンクリートや鉄柱を堂々と多用するなど、記念物や建造物、遺跡の保存・修復をうたったヴェネツィア憲章を無視して修復されたバグラティ大聖堂。

Q 危機遺産ってなに？

コンゴ民主共和国の「ヴィルンガ国立公園」
は、絶滅危惧種・マウンテンゴリラの貴重
な生息地。治安の悪化や密猟により、危
機遺産に登録されました。

A
政情不安、自然災害などの理由で、
危機にさらされている遺産のことです。

危機にさらされている世界遺産は、緊急の保護対象になります。

残念ながら、武力紛争や自然災害、都市・観光開発、
密猟などによって危機に瀕している世界遺産があります。
危機遺産に登録された遺産は、
状況が改善されると、危機遺産リストから解除されます。
危機遺産登録の目的は、周知することで各国の協力をあおぎ、
人類の宝を危機から脱却させることなのです。

ほかにはどんな危機遺産があるの？

A エルサレムは、登録されてからずっと危機遺産のままです。

ユダヤ教、キリスト教、イスラム教の聖地は、1981年に**「エルサレムの旧市街とその城壁群」**として世界遺産に登録されました。そして翌年、危機遺産に登録されて以来、解除されていません。古来、領有権を争われたこの古都は、現在も紛争の火種となっています。イスラエルが占領しているものの、帰属問題が解決していないため、イスラエルではなく隣国ヨルダンの申請により特別に世界遺産に登録され、唯一、保有国のない世界遺産になりました。

嘆きの壁と岩のドーム。3つの宗教の多くの信者が、巡礼に訪れます。

② 最初に危機遺産に登録されたのは、どこ？

A モンテネグロのコトルです。

1979年4月15日、モンテネグロの海岸地帯を襲った大地震の影響で、コトル旧市街のおよそ半分が破壊されました。この年の世界遺産委員会で**「コトルの自然と文化-歴史地域」**（当時はユーゴスラビア）は、同年から導入された危機遺産にも同時に登録されました。

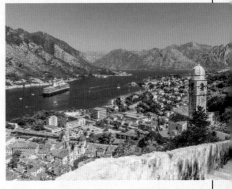

海洋国家ヴェネツィア統治時代の影響が色濃く残るコトルの美しい街並み。修復が進み、2003年に危機遺産から脱することができました。

---

③ 保有するすべての世界遺産が
危機遺産の国があるって、ほんとう？

A アフガニスタン、シリア、
コンゴ民主共和国などです。

アフガニスタン（2件）、シリア（6件）の遺産は紛争で、コンゴ民主共和国（5件）の遺産は内乱、密猟、環境の悪化などが原因で、危機遺産になっています。

シリアの **「パルミラの遺跡」** は、紀元前からシルクロードの中継点として栄えた都市遺跡です。ローマ帝国支配時の遺構が残されていましたが、反体制派と政府軍の戦闘により、破壊されました。

★COLUMN★　「負の遺産」とは？

戦争や人種差別など、人類が犯した「負」の行為を記憶にとどめる役割を果たす遺産を総称して「負の遺産」と呼んでいます。しかし、「負の遺産」は、世界遺産条約でその内容が定義されているわけではありません。

人類初の核兵器使用の悲劇をいまに伝える広島の **「原爆ドーム」** は、負の遺産の代表例です。

Q

一度登録されたら、
永久に世界遺産なの？

A
登録を抹消されることがあります。

世界遺産の登録抹消には、世界遺産の課題が垣間見えます。

「アラビアオリックスの保護区」が登録抹消されたのは、
密猟取り締まりの不徹底と、
油田開発を理由とした保護区の設定区域の90%削減。
遺産の保護・保全か？ 利益の追求か？
世界遺産はときに、人類を大きなジレンマに陥らせます。

ほかに登録を抹消された世界遺産はある？

A ドレスデンのエルベ渓谷が、抹消されました。

エルベ川沿いに開けたドイツのドレスデンは、市街地を中心に流域約18kmが**「ドレスデン・エルベ渓谷」**として世界遺産に登録されました。しかしその後、交通渋滞を解消するために、住民投票の結果、中心街から東へ約3kmのところに、ヴァルトシュレスヒェン橋というアーチ橋が架けられました。そのため、"景観が破壊された"として、2009年に世界遺産から抹消されました。

登録抹消のきっかけとなったヴァルトシュレスヒェン橋。

古くからザクセン地方の中心都市として栄えたドレスデンには、ツヴィンガー宮殿や聖母教会など、バロック様式の建物が多く残ります。

② 登録範囲が変更されることもあるの?

A よくあります。

登録範囲が拡大されたり、構成資産（P.74）が増えたりすることは少なくありません。反対に、バグラティ大聖堂（P.37）のように構成資産から一部が登録対象から外され、"縮小"される場合もあります。いずれも、新規登録と同様に、世界遺産委員会で審議されて決定します。

北マケドニアにある世界屈指の古代湖・オフリド湖は、ユーゴスラビア時代の1979年に自然遺産として登録。翌年、キリスト教建築物やイコンが評価され、複合遺産「**オフリド地域の自然遺産及び文化遺産**」になりました。さらに2019年、登録範囲が隣国のアルバニアに拡大。幾度もの登録変更、拡大を経てきた世界遺産といえます。

③ 日本の世界遺産でも、登録変更はあったの?

A 石見銀山が、軽微に拡大されました。

「**石見銀山遺跡とその文化的景観**」（島根県）は、採掘される銀が世界的な経済的、文化的交流を生んだとして、2007年に世界遺産に登録されましたが、同時に登録基準の独自の集落（v）について、課題を突きつけられていました。それらを解消した結果、2010年に登録範囲が拡大し、大森銀山、温泉津港、鞆ヶ浦・沖泊が遺産の範囲内になりました。

登録範囲を大幅に拡大する場合には、改めて暫定リストに登録する必要があります。日本の暫定リストには、達谷窟毘沙門堂などを追加すべく、「**平泉－仏国土（浄土）を表す建築・庭園及び考古学的遺跡群**」（岩手県）が登録されています。

Q 世界遺産は、
国ごとに登録されるの？

アメリカのグレーシャー国立公園と、国境をはさんで接するカナダのウォータートン・レイク国立公園が、**「ウォータートン・グレーシャー国際平和自然公園」**として世界遺産に登録されています。

A
複数の国にまたがる
世界遺産もあります。

このような世界遺産を「トランスバウンダリー・サイト」といいます。

「人類の宝」に、
国境は意味をなしません。

現在のトランスバウンダリー・サイトの数は39件。
そのうちの20件が文化遺産です。
近年、特に増加の傾向があります。
国境を越えた世界遺産には、複数の国が協力し合って
遺産を保全・保護することができるメリットもあります。

Q シルクロードも世界遺産に登録されているの？

A 中国、カザフスタン、キルギスの
関連資産が登録されています。

世界史上で重要な役割を担ったシルクロードは、「トランスバウンダリー・サイト」の主旨に最も適した遺産かもしれません。以前から登録の動きはありましたが、2014年に、中国、カザフスタン、キルギスの33件の都市、交易拠点、防衛施設、宗教施設の遺跡が、**「シルクロード：長安−天山回廊の交易路網」**として登録されました。

新疆ウイグル自治区の交河故城は、中国国内に残る、ただひとつの漢
時代の都市遺跡。壁は土を固めた版築という工法で建てられています。

② 国境を越えた場合は、どの国の世界遺産なの?

A 複数国が共同で登録する場合と、別々に登録する場合があります。

「シルクロード：長安−天山回廊の交易路網」や「モシ・オ・トゥニャ／ヴィクトリアの滝」(P.36)は、関連する国が共同で登録していますが、「イグアス国立公園」(P.36)や「スンダルバンス国立公園」(インド)／「シュンドルボン」(バングラデシュ)は、個別に登録しています。

「サンティアゴ・デ・コンポステーラの巡礼路」は、フランス、スペインが個別に登録しています。写真は、スペイン側のイバニェタ峠にある、巡礼者のための道しるべです。

③ 大陸を飛び越えた世界遺産もあるの?

A ル・コルビュジエの建築作品は、関連資産が登録されています。

近代建築に大きな足跡を残した建築家、ル・コルビュジエの作品17件が、2016年に「ル・コルビュジエの建築作品−近代建築運動への顕著な貢献」として世界遺産に登録されました。その作品は、フランス、ベルギー、ドイツ、スイス、アルゼンチン、インド、日本と、ヨーロッパ、アジア、南米にまたがっています。こうした大陸を越えての世界遺産を「トランスコンチネンタル・サイト」といいます。

フランス・ブルゴーニュの山間に建つ、ロンシャンの礼拝堂。

★COLUMN★ 10か国以上にまたがる世界遺産

世界最多の国にまたがるトランスバウンダリー・サイトは、「カルパチア山脈とヨーロッパ地域の古代及び原生ブナ林」で、スロヴァキア、ウクライナ、ドイツなど、ヨーロッパの12か国に点在します。文化遺産では、北はノルウェー、南はウクライナまで、10か国にまたがる「シュトゥルーヴェの三角点アーチ観測地点群」が最多です。

「シュトゥルーヴェの三角点アーチ観測地点群」のうち、最北に位置するのがノルウェー・ハンメルフェストの観測地点。ロシアの天文学者・シュトゥルーヴェは、265か所の測置点で三角測量をして、地球の大きさの計測に貢献しました。そのうち34か所が世界遺産になっています。

「プリトヴィッチェ湖群国立公園」（クロアチア）

石灰分でできた階段を、エメラルドグリーンの水が流れ落ちます。公園
内には、このような湖沼群が連なります。

「ヒエラポリス-パムッカレ」（トルコ）

石灰の階段を満たすのは温泉水です。近くのヒエラポリスは古代ローマ
の時代に、温泉保養地として栄えました。

「ドナウ・デルタ」（ルーマニア）
ヨーロッパを横断するドナウ川。黒海にそそぐ河口には広大な三角州が
広がり、貴重な野鳥や淡水魚が生息します。

「チャン・アン複合景観」（ベトナム）
隆起した山の合間を縫うように手漕ぎボートで進むツアーが人気の、東
南アジア初の複合遺産です。

Q 世界遺産になるための
　 第一歩は？

新潟・佐渡の北沢浮遊選鉱場跡。日本の暫定リストに登録されている「佐渡島（さど）の金山」は、2023年以降の世界遺産登録を目指しています。

A まずは、「暫定リスト」に
登録される必要があります。

暫定リストは次の世界遺産候補。
世界で1751件が登録されています。

世界遺産登録に先立ち、
各国がユネスコ世界遺産センターに
提出するリストが暫定リスト。
2020年の時点で、日本の暫定リストは、
範囲拡大を目指す平泉を含めて7件。
その次へ向けても着々と準備が進められています。

日本の暫定リスト

① 武家の古都・鎌倉（神奈川県）
② 彦根城（滋賀県）
③ 飛鳥・藤原の宮都とその関連資産群（奈良県）
④ 北海道・北東北の縄文遺跡群（北海道、青森県、岩手県、秋田県）
⑤ 佐渡島（さど）の金山（新潟県）
⑥ 平泉－仏国土（浄土）を表す建築・庭園及び考古学的遺跡群－（岩手県）＊拡張
⑦ 奄美大島、徳之島、沖縄島北部及び西表島（鹿児島県、沖縄県）

Q 日本には、暫定リストの下に
さらにリストがあるって、ほんとう？

A 文化遺産、自然遺産それぞれに予備軍があります。

次の文化遺産候補としては、文化庁が日本全国から公募したリストがあり、27件がリストアップされています。自然遺産は、2003年に環境省と林野庁が主催の「世界自然遺産候補地に関する検討会」から、知床と小笠原がすでに世界遺産に登録され、奄美・琉球が2021年の世界遺産委員会で審議されることが決まっています。暫定リストに登録されるまでには、それぞれに大きな課題があるとされています。

すでに暫定リストに登録されているアイスランドの「ミーヴァトン湖」に生息するマリモの起源が、阿寒湖のマリモであることが判明しました。絶滅危惧種・マリモを共通項として、阿寒湖とミーヴァトン湖が世界遺産を共同登録することも考えられているようです。

「世界自然遺産候補地に関する検討会」にリストアップされている「阿寒・屈斜路・摩周」（北海道）の阿寒湖。

② 暫定リストの登録件数が最大の国はどこ?

A 83件も登録しているトルコです。

古代文明発祥の地に囲まれ、数々の国家が
栄枯盛衰を繰りかえしたトルコには、バラエティ
に富んだ遺跡や建造物が残っています。

トルコの暫定リストに登録されている
「アクダマル教会」とヴァン湖。10世
紀に創建されたアクダマル教会は、
アルメニア教会建築のひとつの到達
点と評価されています。

★COLUMN★ ## 次に来る! 注目の世界遺産

白砂の大砂丘に無数の青い湖のコントラストが美しい**「レンソイス・マラニャンセス国立公園」**は、新たな絶景スポッ
トとして話題です。この公園はブラジルの暫定リストに登録されており、自然美や絶滅危惧種の聖域として、2021年
の世界遺産登録が有力視されています。

湖が見られるのは、雨季の間だけ。周辺には貴重な植物が生育し、
ショウジョウトキやジャガーネコなども生息しています。

Q
近年の世界遺産登録の傾向は？

1832年に開通した北米最古の「リドー運河」は、いまも現役。カナダの首都オタワでは、冬期に運河が世界最長のスケートリンクに様変わりします。

A

産業遺産や20世紀の遺産、
先史時代の遺産が増えてきています。

地域格差や時代の偏りをなくし、不均衡を解消する試みです。

1994年の世界遺産委員会では、
「グローバル・ストラテジー」が採択されました。
ヨーロッパの宮殿や城塞、キリスト教関連資産、
先史時代および20世紀をのぞく時代の遺産などへの偏りや
地域的・時代的な不均衡を是正するために掲げた目標です。

保有数ゼロの国の遺産は、登録されやすいの？

A 有利にならないとはいいきれません。

「グローバル・ストラテジー」では、具体的に以下の4つが目標に掲げられました。
① 地理的拡大
② 産業関係、鉱山関係、鉄道関係の強化
③ 先史時代の遺跡群の強化
④ 20世紀以降の文化遺産の強化
「地理的拡大」の観点からすると、世界遺産を持たない国や地域からの登録は、強く推奨されているといえます。

保有数ゼロだったカリブ海の島国、セントルシアは、2004年の世界遺産委員会で「ピトンズ・マネジメント・エリア」を推薦。事前の評価は芳しくありませんでしたが、逆転で登録されることになりました。

② 産業遺産には、どういったものがあるの?

A 鉱業、製造業、農業、林業、鉄道、運河などです。

はじめは、産業革命発祥のイギリスや、西ヨーロッパ諸国の遺産が多く登録されましたが、現在では世界各国のユニークな産業遺産が登録されています。

産業遺産の中でも数が多いのが鉱業関係の遺産です。ドイツの**「エッセンのツォルフェライン炭坑業遺産群」**の採掘坑は美しくライトアップされ、観光名所にもなっています。

③ 先史時代の遺跡には、どういったものがあるの?

A 古代人の住居跡や壁画などです。

先史時代の遺跡は、保全が不十分なことも多いことから、人類の歴史の最初期の貴重な証拠としての登録を促す意味もあり、グローバル・ストラテジーに盛り込まれました。

「マロティ-ドラケンスバーグ公園」に残る、サン人の洞窟壁画。南アフリカとレソトにまたがるこの遺産は、トランスバウンダリーの複合遺産です。

★COLUMN★ ユニークな産業遺産

産業革命の地・イギリスには産業遺産が多く、**「ソルテア」**や**「ニュー・ラナーク」**という2つの工場労働者の町が揃って世界遺産に登録されています。またスイスでは、時計製造業のために整備された2つの町が、**「ラ・ショー-ド-フォン／ル・ロクル、時計製造の町」**として世界遺産に登録されています。

「ソルテア」の街並み。奥には工場の煙突が見えます。

「ラ・ショー-ド-フォン」の街並み。

Q

世界遺産の数が
もっとも多い国はどこ?

55件の保有数を誇る中国の『武陵源の自然景観と歴史地域』。中国らしい幻想的な風景が広がっています。

A
2021年1月時点では、
イタリアと中国です。

保有数トップのイタリアに、2019年、中国が追いつきました。

世界遺産誕生から初期にかけては、
ヨーロッパの宮殿や城塞、
教会や修道院などのキリスト教関連施設が多く登録されました。
現在は、アジアの歴史のある国が、追い上げてきています。

Q 3位、4位、5位の国を教えて！

A スペイン、ドイツ、フランスです。

3〜5位には、西ヨーロッパの国がランクイン。スペインが48件、ドイツが46件、フランスが45件で、インド、メキシコと続きます。日本の23件は12位です。

世界遺産保有数 国別ランキング

順位	国	件数
1位	イタリア	55件
1位	中国	55件
3位	スペイン	48件
4位	ドイツ	46件
5位	フランス	45件
6位	インド	38件
7位	メキシコ	35件
8位	イギリス	32件
9位	ロシア	29件
10位	アメリカ	24件
10位	イラン	24件
12位	日本	23件

※2021年1月現在

4位ドイツの文化遺産「ヴィースの巡礼教会」のロココ様式の内部装飾。

② インドやイランの数が多いのはなぜ？

A 歴史の古い国は、それだけ資産が多いといえるでしょう。

古代文明が栄え、数々の王朝が栄枯盛衰を繰りかえした両国。いずれもヨーロッパとアジアの中間に位置し、東西文明が交流したルート上にもあるといえます。

「エローラ石窟群」は、「アジャンター石窟群」「アーグラ城塞」「タージ・マハル」（P.124）とともに、1983年にインドではじめて、世界遺産に登録されました。

イランの「ペルセポリス」は、アケメネス朝ペルシアの帝都。アレクサンドロス大王の遠征で破壊されましたが、数々の遺構が残ります。

③ 世界遺産がもっとも多い都市はどこ？

A 北京で、7件保有しています。

中国の北京は、隋の煬帝の大運河の起点になったり、元や明、清の首都にもなったりした、歴史のある都市です。有名な「万里の長城」（P.33）の八達嶺長城も、北京市内にあります。

中国最大の祭祀施設「天壇：北京の皇帝の廟壇」では、明、清の皇帝が毎年、天に祈りを捧げました。ほかの5件は、「北京と瀋陽の明・清朝の皇宮群」「周口店の北京原人遺跡」「頤和園、北京の皇帝の庭園」「明・清朝の皇帝陵墓群」「中国大運河」です。

Q
世界遺産条約加盟国でも、
登録数ゼロの国はある？

A

モナコなど、2020年時点で
27か国・地域あります。

フランス、イタリア、モナコのトランス
バウンダリー・サイトとして、2019年
に登録を目指した**「地中海アルプス」**
は、IUCNから不登録を勧告され、
申請を取り下げました。

フランス、イタリアと共同推薦でも、登録されませんでした。

2017年の世界遺産委員会では、
アフリカのアンゴラとエリトリアに、世界遺産1号が誕生しました。
「地中海アルプス」には、モナコの海洋地域が含まれていましたが、
2019年のIUCNの評価で、国際的なレベルでの価値がないとして
不登録勧告を受けてしまいました。

登録数ゼロのおもな国を教えて！

A ブータンやクウェート、トンガ、モルジブなど、
計27か国・地域です。

ブータンは8つ、クウェートは4つ、トンガは2つ、モルジブは
1つの遺産を暫定リストに登録しています。ブルネイやニ
ウエのように、暫定リストに1つも登録していない国・地域
もあります。

バロ・ゾンの鮮やかな装飾。バロ・ゾン
を含む5つのゾン（要塞）が、ブータン
の暫定リストに登録されています。

世界一幸福な国ともいわれたブータンの国民は、熱心なチ
ベット仏教の信者です。国内には、タクツァン僧院のような
寺院、僧院が点在しています。

世界第5位の小国であるサンマリノには、世界遺産「**サンマリノ歴史地区とティターノ山**」があります。サンマリノはティターノ山の山頂に築かれた、現存世界最古の共和国です。

② 世界遺産条約締結国は何か国？

A 2020年に194か国になりました。

2020年にソマリアが締結して、194か国になりました。ユネスコには193か国が加盟していますが、脱退したアメリカ、イスラエルをのぞくと、ツバルとナウルの2か国だけが、条約未締結となります（バチカン市国は、ユネスコ未加盟ですが条約は締結）。

③ 台湾にも世界遺産はあるの？

A 世界遺産条約未締結のため、ありません。

"1つの中国"をうたう中国の意向により、台湾には世界遺産がありません。ですが、台湾政府は独自の候補リストを制作し、来るべき日に備えています。リストには「玉山国家公園」や「太魯閣国家公園」といった自然の遺産、「阿里山森林鉄道」や「烏山頭ダムと嘉南大圳」といった産業遺産が名を連ねています。

澎湖（ほうこ）諸島の「澎湖石滬（シーフー）群」は、潮の干満差を使用して魚を採る伝統的な設備です。新石器時代から続く漁法だといわれています。

★COLUMN★ **ヨーロッパで唯一、世界遺産条約未締結の国**

オーストリアとスイスにはさまれた、世界6位の小国・リヒテンシュタインは、ユネスコ未加盟国で世界遺産条約を締結していません。国家元首はリヒテンシュタイン公で、タックス・ヘイブンとしても知られています。同じ公国（貴族が国家元首の国）でも、モナコやアンドラは条約を締結しており、アンドラには「**マデリウ-ペラフィタ-クラーロル渓谷**」という世界遺産があります。

Q 世界遺産には、
　　誰でも訪れることができるの？

「ニュージーランドの亜南極諸島」のひとつ、アンティポデス諸島は、ヒガシイワト
ビペンギンなどの貴重な生物を保護するため、立ち入りが厳しく制限されています。

A
立ち入りが制限・禁止されている
遺産もあります。

生活している人々の文化と、遺産の価値を守る必要があります。

文化財の保護、環境保全、宗教上の決まり……。
自由に訪れることができない不自由には、
必ず理由があるのです。
的確なコントロール（制限）と適切なマネージメント（管理）、
正確な情報発信が、世界遺産には求められています。

Q あのウルルに登れなくなったって、ほんとう？

A はい。今は登れません。

エアーズロックの名でも知られるウルルとその西に位置するカタ・ジュタは、ともに**「ウルル-カタ・ジュタ国立公園」**として複合遺産になっています。ウルルは、世界遺産登録のずっと前から、オーストラリアの原住民アボリジニの聖地でした。アボリジニは、観光収入としてウルルの登頂をしぶしぶ許可していましたが、長年にわたるアボリジニの権利が認められ、オーストラリア政府は2019年10月26日以降、観光客の登山を恒久的に禁止しました。

ウルルは鉄分を含んで赤くなった砂岩の一枚岩で、アボリジニの生活や祭祀のあとが随所に残っています。

女性が入れない世界遺産があるって、ほんとう?

A 聖山アトスは、女人禁制の掟を守り続けています。

ギリシャ北東の半島部に、修道院と関連施設が点在するギリシャ正教の聖地が「**アトス山**」です。許可された男性だけが入山することができ、女性だけでなく動物の雌の入山も厳格に禁止されています。ただし、ネズミを捕るからという理由でネコの雌は入山を許されているとか。

アトス山にあるゾクラフウ修道院のイコン。自治権が認められた領内で、修道僧が祈りの日々を過ごしています。

アトス山の修道院は、このオシウ・グリゴリウ修道院のように海に面した断崖に築かれたものも多く、陸路も封鎖されているため、船で入山するしかありません。

★COLUMN★ **忍び寄る"ユネスコサイド"の脅威**

"ユネスコサイド (unescocide)"とは、ユネスコに「殺す」を意味する接尾語cideをつけた言葉で、「観光業で汚染された場所」を意味します。アメリカの東洋文化学者のアレックス・カーが、ジャーナリスト・清野由美との共著『観光亡国論』で言及しています。オーバーツーリズムは、観光客による景観の破壊や管理の不徹底を招き、ひいては危機遺産化を招きかねません。遺産の保護・保全と観光業の両立は、一筋縄ではいかない難問なのです。

少数民族・ナシ族の伝統的な家屋が立ち並ぶ「**麗江旧市街**」は、中国人にとっても人気の観光地となっており、シーズンには大変な混雑となります。また、ライブハウスやディスコが増えて爆音を響かせるため、旧市街の情緒豊かな街並みを期待していた観光客にとっては、"期待外れ"という声も聞かれます。

麗江からのぞむ玉龍雪山は、ナシ族の聖地でもあります。

写真で見る　岩の世界遺産

自然の力が作り出した造形と、人が築いた
岩の建造物の世界遺産です。

「カナディアン・ロッキー山脈自然公園群」（カナダ）
ロッキーは「rocky＝岩だらけの」。6000万年前の造山活動でできた山
肌を氷河が削り、絶景を作りだしています。

「ジャイアンツ・コーズウェーとコーズウェー海岸」（イギリス）
六角形の石柱の正体は、マグマが冷えてできた玄武岩。ミステリアスな
光景は、巨人（ジャイアンツ）伝説と結びつけられました。

「古代都市シギリヤ」（スリランカ）
巨岩の上の城塞は、まさに天空都市といった趣き。5世紀後半にシンハラ王国の国王によって、築かれました。

「ヴィエリチカ・ボフニア王立岩塩坑」（ポーランド）
岩塩採掘場の内部に作られた聖キンガの礼拝堂。驚くべきことに、シャンデリアや彫刻も岩塩で作られています。

Q

京都は町全体が世界遺産なの？

A

いいえ。町全体ではなく、
17件の構成資産のみが登録されています。

「**古都京都の文化財**」の構成資産のひとつ、京都の
醍醐寺。75,537点の国宝、430点の重要文化財を
有しています。

地理的にはバラバラでも、
ひとつの世界遺産の構成資産。

「古都京都の文化財」を構成する17の構成資産にも、
それぞれ緩衝地帯があります。
なお、地理的なつながりがないけれど、
同じ世界遺産の構成資産になるケースを
「シリアル・ノミネーション」といいます。
日本では、「明治日本の産業革命遺産」が代表例です。

登録範囲は、どうやって決められるの？

A ひとつ、または複数の構成資産と、
その周囲に設けられる利用制限区域（緩衝地帯）から
世界遺産は構成されます。

緩衝地帯（またはバッファーゾーン）は厳密には世界遺
産の登録範囲には含まれませんが、登録時には、遺産を
守るために充分な広さが必要になります。

広島県の「厳島神社」は、社殿だけではなく、背後にそ
びえる弥山（みせん）も構成資産に含まれています。弥
山の頂上からは、瀬戸内海の島々が見渡せます。

② 単一で登録範囲が 最大、最小の遺産はどこ?

A 最大はハワイの「パパハナウモクアケア」、 最小はオランダの「シュレーテル邸」です。

ハワイ諸島から北西の250kmから1,931kmという広大な範囲にある島と環礁が「**パパハナウモクアケア**」で、登録範囲は362,075km²にもおよびます。ちなみに、日本の総面積は377,974km²ですので、その大きさにほぼ匹敵します。

一方の最小は、オランダの建築家、リートフェルトが設計した邸宅「**リートフェルト設計のシュレーテル邸**」(P.89)で、畳41畳分の広さです。

「パパハナウモクアケア」は、絶滅危惧種・ハワイモンクアザラシの貴重な生息域となっています。

---

③ 国が丸ごと登録されている 世界遺産はある?

A バチカン市国です。

世界最小の独立国・「**バチカン市国**」は、世界でたたひとつ、国の領土全体が世界遺産に登録されています。また、「**ローマ歴史地区、教皇領とサン・パオロ・フオーリ・レ・ムーラ大聖堂**」の構成資産であるサン・ジョヴァンニ・イン・ラテラノ大聖堂は、ローマ司教を兼ねるローマ教皇の司教座聖堂であるため、バチカン市国の外にありながら、バチカン市国領となっています。

バチカン市国を守るスイス衛兵は、16世紀以来の伝統があります。

★COLUMN★ ## 金閣寺は庭園が世界遺産

世界遺産に登録されるには、"法律等で保護される保全体制が整っている"必要があります。日本の文化遺産の場合、産業関連遺産をのぞき、国宝か重要文化財あるいは国特別史跡・特別名勝に指定されていなければなりません。世界的にも有名な金閣寺(鹿苑寺)の舎利殿は1950年に焼失、その後再建されたため、要件を満たさず、世界遺産の構成資産にはなっていません。構成資産に含まれるのは、国特別史跡・特別名勝の借景庭園です。

Q

世界最北の世界遺産は、どこ？

A

ロシアの
「ランゲル島保護区の自然生態系」です。

北極海に浮かぶランゲル島は、絶滅の危機にさらされてい
るホッキョクグマの生息密度が世界一といわれています。

北極圏の極寒の地や
海抜ゼロメートル地帯にも。

地球を南北に見てみましょう。
北緯66度33分以北の北極圏には、6つの世界遺産がありますが、
南極圏にはひとつもありません。
垂直方向に目を向けると、世界最高峰のエベレストも世界遺産の一部。
海抜マイナス地帯の死海周辺にも、世界遺産になったキリスト教の聖地があります。

デンマーク領グリーンランドの **「イルリサット・アイスフィヨルド」** にある、イルリサット
の町。セルメク・クジャレク氷河は、世界でもっとも速く動く氷河といわれています。

 いちばん南にある世界遺産は、どこ？

A　オーストラリア領のマッコーリー島です。

「ニュージーランドの亜南極諸島」（P.68）のさらに南にあるのが、オーストラリア領の **「マッコーリー島」** です。

ペンギンの楽園としても知られる
マッコーリー島は、登録基準の
独自の生態系（ix）、生物多様性
（x）ではなく、自然美（vii）と
地球の歴史（viii）で世界遺産に
登録されている孤島です。

② いちばん高い世界遺産の建造物を教えて！

A パリのエッフェル塔です。

「**パリのセーヌ河岸**」の構成資産のひとつ、エッフェル塔の高さは現在324メートルで、世界遺産の建造物としてはいちばんの高さを誇ります。

パリのランドマークともいえるエッフェル塔は、パリ万博の目玉として、1889年に完成しました。

---

③ 陸上でもっとも低い場所にある世界遺産は？

A ヨルダンのアル・マグタスです。

世界でもっとも標高が高い世界遺産は、いうまでもなくエベレストを擁する「**サガルマータ国立公園**」ですが、もっとも標高が低い地点にあるのは、ヨルダンの世界遺産「**洗礼の地"ヨルダン川対岸のベタニア"（アル・マグタス）**」です。ここは、キリストがヨハネによって洗礼を受けた地とされています。遺跡のある一帯は死海の北端付近で、海抜マイナス300メートル地帯にあたります。

洗礼池などが、遺跡として整備されています。

★COLUMN★ 4つの"世界一"をもつバイカル湖

シベリアにある「**バイカル湖**」は、①世界一の透明度、②世界一の深さ、③世界一の淡水量を誇る、④世界一古い湖です。これだけの世界一を誇るバイカル湖ですから、当然、世界遺産に登録されています。その自然美や地球の生成上重要な湖というだけではなく、バイカルアザラシやサケ科の固有種・オームリの生息地としても評価されています。

冬季に一面氷に覆われる湖面には、膨張した氷が描き出す幾何学模様の無数のヒビがあらわれます。

Q
世界遺産で
いちばん新しい建造物は?

建築家のヨーン・ウッツォンがデザインした
「シドニー・オペラハウス」（オーストラリア）
は、14 年かけて 1973 年に完成にこぎつけ
ました。

A
シドニー・オペラハウスです。

グローバル・ストラテジーで、
20世紀遺産の登録が増加。

現代の建築物は、時代の検証を経ておらず、
文化財を保護する法体制から外れていることも多いのですが、
現代の文化遺産でも積極的に保護する機運が高まり、
現代建築の登録が増えてきました。

未完成のサグラダ・ファミリアも世界遺産なの？

A ガウディが完成させた一部だけが世界遺産です。

ガウディの設計した建築群のうち7つを構成資産として、「**アントニ・ガウディの作品群**」（スペイン）が世界遺産に登録されています。サグラダ・ファミリアは未完成ですが、未完成でも世界遺産になれるのでしょうか？　実は、サグラダ・ファミリアのうち、世界遺産に登録されているのは、ガウディが生前に完成させたファサードと地下聖堂だけなのです。

ガウディが完成させた正面東側の「生誕のファサード」は、聖母マリアに抱かれた幼子イエスや東方三博士の礼拝の彫刻で、絢爛に装飾されています。

ガウディの没後100年にあたる2026年の完成を目指していましたが、新型コロナウイルスの蔓延によるロックダウンで工事が遅れ、完成予定は先延ばしになる見込みです。

② 自然遺産でもっとも新しいといえるのは？

A アイスランドの
スルツエイ島です。

「**スルツエイ**」は、1963年の海底噴火で誕生した島です。草木も生えない荒れ地に、徐々に植物や動物が繁殖してゆくステップが調査できるため、地球生成の過程を研究するための最適なフィールドとなりました。

2018年のスルツエイ島。現在では海鳥が住みつき、アザラシが繁殖するようになりました。

③ もっと新しい世界遺産が誕生する可能性は？

A ルワンダ虐殺の記念サイトが登録されるかもしれません。

1994年にアフリカ中央部のルワンダで発生した大虐殺は、100万人（諸説あり）もの命を奪った悲劇です。この悲劇を後世に伝えるべく、ルワンダは**「虐殺記念サイト：ニャマタ、ムランビ、ビセセロ、ギソジ」**を暫定リストに登録。2021年の世界遺産委員会での審議を予定しています。そのなかのギソチは、1999年に建てられました。

写真はビセセロの記念館。登録されれば、ルワンダ初の世界遺産となります。

サグラダ・ファミリアは違法建築だった？

2006年、地下に高速鉄道の建設計画が持ち上がった際、サグラダ・ファミリアの建設の届け出が、行政に提出されていないことが判明しました。紆余曲折を経て管財当局が賠償金を支払うことで、2019年にようやく建築許可が下りました。いまさらという感が否めませんが、着工後139年を経ても話題を提供するサグラダ・ファミリア。さすがです。

ガウディは、サグラダ・ファミリアの地下聖堂に眠っています。

Q
私たちでも住める
世界遺産ってある？

A
バルセロナのカサ・ミラは、
賃貸物件として入居可能です。

近現代建築の世界遺産には、いくつかの集合住宅があります。

白川郷・五箇山の合掌造り集落や、
イタリアのアルベロベッロのように、
集落が世界遺産に登録されている場合などは、
家屋に住民が住んで生活をしています。
もちろん賃貸や購入ができる世界遺産は人気があり、
入居するのは簡単ではありません。

伝統的な家屋が並ぶ**「アルベロ
ベッロのトゥルッリ」**（イタリア）。

ほかにも住める集合住宅を教えて！

A マルセイユのユニテ・ダビタシオンや、
ベルリンのジードルングなどがあります。

近代建築の巨匠たちが設計した集合住宅も、世界遺産に登録されています。たとえば、**「ル・コルビュジエの建築作品」**（P.49）には、ル・コルビュジエがマルセイユ（フランス）に建てたユニテ・ダビタシオン、**「ベルリンの近代集合住宅群」**（ドイツ）には、バウハウスのヴァルター・グロピウスやブルーノ・タウトが設計した6つのジードルング（集合住宅）があります。

メゾネットタイプのユニットが立体的に組み合わされた、マルセイユのユニテ・ダビタシオン。

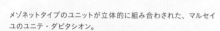

ブルーノ・タウト設計によるジードルング・シラーパルク。

② 有名建築家の世界遺産をもっと教えて！

A 近代建築の三大巨匠は全員、作品が世界遺産になっています。

フランク・ロイド・ライト（P.29）、ル・コルビュジエ、ミース・ファン・デル・ローエは、後世の建築界に大きな影響を与え、"近代建築の三大巨匠"といわれます。ほかにも、名建築家の作品が登録されています。

三大巨匠のひとり、ミース・ファン・デル・ローエによる**「ブルノのツゲンドハット邸」**（チェコ）。

「ヴァイマールとデッサウのバウハウスとその関連遺産群」（ドイ）のひとつ、バウハウス・デッサウ校は、バウハウス初代校長のヴァルター・グロピウスが中心となって設計しました。

オスカー・ニーマイヤーを招聘して設計された**「パンプーリャ近代建築群」**（ブラジル）の複合施設、カーサ・ド・バイリ。

「リートフェルト設計のシュレーテル邸」（オランダ）は、ヘリット・トーマス・リートフェルトの建築家としての代表作です。

★COLUMN★ ## 国立西洋美術館はフランスが申請？

東京・上野の国立西洋美術館・本館は、**「ル・コルビュジエの建築作品」**として世界遺産に登録されていますが、申請は構成資産を多く抱えるフランスが一括して行いました。かつて、フランス国内の作品のみを暫定リストに登録していたから、という経緯があるようです。

登録に先立ち、文化財保護法の「築50年以上」という条件を改正して、重要文化財に指定されました。

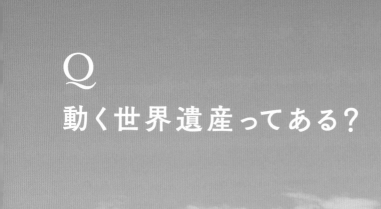

Q
動く世界遺産ってある？

A
「世界遺産は不動産」が原則です。

趣のある鉄道車両も魅力的ですが、不動産でなければなりません。

世界遺産には、
「土地や建物などの不動産
でなければならない」
という決まりがあります。

スイスのラントヴァッサー橋を渡るレーティッシュ鉄道アルブラ線の列車。「**レーティッシュ鉄道アルブラ線・ベルニナ線と周辺の景観**」として世界遺産に登録されています。

 世界遺産に登録されている駅舎はあるの？

A インド・ムンバイにある駅舎が登録されています。

ヴィクトリア女王の即位50周年の1887年に完成し、"ヴィクトリア・ターミナス"と名付けられましたが、のちにインド名の「**チャトラパティ・シヴァージー・ターミナス駅**」に改名。ゴシック・リヴァイヴァル建築とインドの伝統的建築が融合した傑作とされています。

イギリス人の建築家により、10年以上の歳月をかけて完成しました。

② 世界遺産になった地下鉄路線もあるの?

A ブダペストの地下鉄が世界遺産です。

"ドナウの真珠"と称えられるハンガリーの首都・ブダペストは、河畔の歴史地区とともに、ヨーロッパ大陸初の地下鉄が、世界遺産に登録されています(**「ドナウ河岸、ブダ城地区及びアンドラーシ通りを含むブダペスト」**)。

黄色の標識が地下鉄駅の案内板。目抜き通りのアンドラーシ通りの真下には、地下鉄1号線が敷かれています。

ドナウ川に架かるくさり橋と国会議事堂が美しくライトアップされています。

③ 世界遺産の絵画ってある?

A ダ・ヴィンチの「最後の晩餐」は世界遺産です。

イタリア・ミラノのサンタ・マリア・デッル・グラツィエ教会の漆喰壁に描かれた「最後の晩餐」は、レオナルド・ダ・ヴィンチの現存する数少ない完成作のひとつ。キャンバスに描かれた絵画は動産なので世界遺産にはなりませんが、壁に描かれた絵画やイコン、彫刻は、世界遺産の評価のひとつになります。

登録名は、**「レオナルド・ダ・ヴィンチの「最後の晩餐」があるサンタ・マリア・デッレ・グラツィエ教会とドメニコ会修道院」**。登録名に単独の芸術作品名が含まれるケースは、ほかにありません。

★COLUMN★ 船が通る水路の世界遺産

産業遺産の一種として、運河も世界遺産に登録されています(P.56)。なかでも、イギリス・ウェールズの**「ポントカサステ水路橋と水路」**は、水路橋を小型の船が走る光景がユニークでかわいらしく、観光客にも人気です。

水路の幅は狭く船がすれ違うことはできないので、どちらか一方は待避場所で待つことになります。

Q

飲食に関する
世界遺産ってある？

メキシコの「リュウゼツラン景観と古代テキーラ産業施設群」は
世界遺産です。テキーラの原料となるリュウゼツランの畑が広がっ
ています。

A
ブドウ畑やワイナリー、
テキーラの蒸留所なども登録されています。

テキーラの製法が、
メキシコでは継承されてきました。

ワインの原料となるブドウの畑や、
コーヒー、タバコの農園……。
嗜好品は人びとの文化とは切り離せません。
人びとは、長い時間をかけて
地域の風土に合った栽培法を編み出し、
文化的景観を形作っています。

硬い葉を切り落としたリュウゼツランの球茎
（きゅうけい）から、テキーラが精製されます。

Ｑ どのワインの産地が登録されているの？

Ａ フランスのボルドー、ブルゴーニュ、
北イタリアのピエモンテ州などです。

ヨーロッパでは、フランス3、イタリア2、ポルトガル2、スイス1、ドイツ1、オーストリア1、ハンガリー1、全部で11か所のワイン生産地が世界遺産に登録されています。シャンパンやプロセッコ（ヴェネト州の発泡ワイン）、ポートワイン、貴腐ワインも含まれます。これらのすべてが、文化的景観です。また、パレスチナでは、**「オリーブとワインの地－エルサレム南部バティールの文化的景観」**が世界遺産になっています。

スイス・レマン湖畔の北東側の斜面に広がる、**「ラヴォー地区の葡萄畑」**。急斜面にブドウの段々畑とワイン造りの関連施設が点在する独特の景観が評価されています。

世界遺産でつくられたワイン

各国の世界遺産ワイン産地の代表的なワインをご紹介します。

◆ フランス ◆

「サン・テミリオン地域」

シャトー・ベレール・モナンジュ
2017
750ml 赤
品種：メルロ、カベルネ・フラン

◆ イタリア ◆

「ピエモンテの葡萄畑景観
：ランゲ・ロエロ・モンフェッラート」

バルバレスコ 2017
／ガヤ
750ml 赤
品種：ネッビオーロ100%

◆ ポルトガル ◆

「アルト・ドウロ・ワイン生産地域」

キンタ・デ・エルヴァモワラ
・ポート・10イヤーズ
／ラモス・ピント
750ml 甘口赤
品種：トウリガ・ナショナルなど

◆ ハンガリー ◆

「トカイワイン産地の歴史的文化的景観」

貴腐ワイン、ブドウ品種：フルミントなど

フランス、イタリア、ポルトガルのワイン写真提供：エノテカ

オーストリアの**「ヴァッハウ渓谷の文化的景観」**は、
ドナウ川とブドウ畑、古城、修道院が織りなす美しい
景観が見どころ。写真はゲットヴァイク修道院。

Q 宗教の聖地も、
　たくさん登録されているの？

ブッダは、「仏陀の生誕地ルンビニ」（ネパール）で、シャカ族の王妃・摩耶（まや）夫人のわきの下から産まれたとされています。

A

ブッダやキリストの生誕地などの、
ゆかりの地が登録されています。

心の拠りどころである宗教。
数々の祈りの場が世界遺産です。

世界三大宗教のひとつ、仏教。
創始者ブッダの足跡をたどるように、生誕の地、悟りを開いた地が世界遺産、
はじめて教えを説いたサールナートが暫定候補になっています。
古代仏教教育の拠点、ナーランダ大学の遺跡は、2016年に世界遺産になりました。

キリスト教の聖地も世界遺産なの？

A 三大巡礼地はもちろん、
数々の教会や修道院が登録されています。

おもにヨーロッパには、キリスト教関連の世界遺産がたくさん存在します。なかでも、信者にとって大切な三大巡礼地の**「エルサレムの旧市街とその城壁群」**(P.40)、**「バチカン市国」**(P.77)、スペインの**「サンティアゴ・デ・コンポステーラ (旧市街)」**は、そろって世界遺産に登録されています。そのほか、キリストが誕生した場所、洗礼を受けたとされるヨルダンの**「洗礼の地"ヨルダン川対岸のベタニア"(アル・マグタス)」**(P.81)も世界遺産です。

「イエス生誕の地：ベツレヘムの聖誕教会と巡礼路」として世界遺産に登録されているパレスチナの生誕教会は、キリストが誕生した洞穴の上に建てられており、ローマ・カトリック（フランシスコ会）、東方正教会、アルメニア教会が分担して所有しています。

漏水などによる破損の危険があり、登録当初から危機遺産となりましたが、2019年に解除されています。

② イスラム教の聖地、メッカは世界遺産なの?

A 世界遺産ではありません。

ムハンマドの生誕地で、聖殿カーバのあるメッカ（サウジアラビア）は、コーラン（教典）のなかで、その地への巡礼がイスラム教徒の義務のひとつとされた巡礼地です。このメッカと、聖地メディナは、イスラム教徒以外の立ち入りが厳しく制限されているため、たとえ暫定リストに載ったとしても、異教徒の訪問は事実上困難です。

サウジアラビアのイスラム教の聖地としては、巡礼者の中継地点として栄えたジェッダが、**「ジェッダ歴史地区：メッカへの玄関口」**として世界遺産に登録されています。装飾の美しい飾り窓のある建物が残ります。

---

③ ほかにはどんな宗教の施設が世界遺産?

A バハイ教の聖地が、世界遺産になっています。

イラン発祥のイスラム教一派であるバハイ教は、イランを追われ、最終的にイスラエル・カルメル山のハイファに本部を作りました。**「ハイファ及び西ガリラヤ地方のバハイ聖地群」**には、バハイ教のもとになったバーブ教創始者の廟や西ガリラヤ地方・アッコにあるバハイ教創始者・バハウッラーの霊廟、新古典様式の住宅や庭園などが含まれます。

イスラエル・ハイファのカルメル山にあるバーブ廟とバハイ庭園。19世紀半ばにバハウッラーが興したバハイ教は、世界中に信者がいます。

★COLUMN★ **三大仏教遺跡も揃って世界遺産**

三大仏教遺跡のうちの2つ、カンボジアのアンコール・ワットとインドネシアのボロブドゥル遺跡は、**「アンコール」「ボロブドゥル寺院遺跡群」**として、早くから世界遺産に登録されていました。2019年、3つめの**「バガン」**（ミャンマー）が世界遺産の仲間入りを果たし、三大仏教遺跡そろい踏みとなりました。

バガンでは、11 〜 13世紀に建てられた大小のパゴダ（仏塔）が無数に林立する景観が圧巻です。

Q
植民地時代の街並みの
登録が多いのは、どうして?

A

ヨーロッパの文化が
現地の文化と融合しているからです。

世界各国の植民都市の街並みは、大陸間の文化交流のあかしです。

15世紀半ばからの大航海時代、
交易ルートの確保をおもな目的として
スペインやポルトガルは、大海原に漕ぎ出します。
彼らは行く先々で、祖国の文化・芸術を伝え、
現地の伝統と融合した街並みが生まれました。

中南米の美しい街並みをほかにも教えて！

A メキシコのグアナフアトがおすすめです。

メキシコ中部の高原にあるグアナフアトは、銀山の町とし
て繁栄した植民都市です。スペイン国王フェリペ２世が
寄進した聖母マリア像を祀るサンタ・マリア・デ・グアナ
フアト聖堂や、鉱山主の伯爵が建てたバレンシアナ教会
堂を中心に、スペイン・コロニアル風の豪邸が建ち並ん
でいます。登録名「**古都グアナフアトとその銀鉱群**」に
ある通り、歴史地区の街並みだけでなく、銀鉱山も登録
対象になっています。

歩いているだけでも楽
しそうな、カラフルな
壁の並ぶ小道。

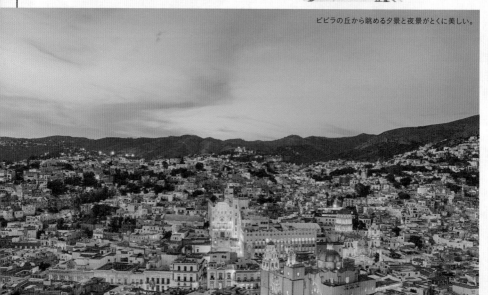

ピピラの丘から眺める夕景と夜景がとくに美しい。

② 中南米以外にも、世界遺産の植民都市はあるの？

A カナダやタンザニア、中国などにあります。

ヨーロッパの列強が各大陸に進出し、世界各地に植民都市を残しています。

カナダの**「ケベック旧市街の歴史地区」**には、北米唯一の城塞都市の面影が残っています。お城のような建物は、高級ホテル、シャトー・フロンテナックです。

ケベックのディアマン岬に建つ星型の要塞・シタデルには、現在も軍隊が駐屯しています。

タンザニアのザンジバルは、スワヒリ文化の下地に、ポルトガル、アラビアのオマーン、イギリス統治の歴史が積み重なった町。サンゴ礁石灰岩でできた街並みが残り、**「ザンジバル島のストーン・タウン」**として、世界遺産に登録されています。

マカオは、ポルトガルのアジア交易の拠点。写真は、**「マカオ歴史地区」**のセナド広場と、ヨーロッパ様式の歴史的建造物群です。

Q 大自然の絶景として知られる
世界遺産を教えて!

アルゼンチンのパタゴニア地方にある**「ロス・グラシアレス国立公園」**のペリト・モレノ氷河。
透明度が高い氷は、波長の短い青い光のみを反射するため、青味がかって見えます。

A

ロス・グラシアレス国立公園の氷河は、
「世界一青い氷河」として有名です。

地球の力を感じさせる氷河は、
数の多い自然遺産です。

氷河自体の美しさや迫力はもちろん、
氷河湖、フィヨルド、圏谷など
氷河がつくり出した地形には、
私たちを引きつける魅力があります。

氷河の世界遺産をもっと教えて！

A　ヴァトナヨークトル氷河が人気です。

2019年に世界遺産に登録されたアイスランドの**「ヴァトナヨークトル国立公園」**には、ヨーロッパ最大とされるヴァトナヨークトル氷河と活火山があり、サブタイトルとして「炎と氷が躍動する自然」が付け足されています。

国土の8％を覆うヴァトナヨークトル氷河では、氷河の中にできた一面鮮やかなブルーに輝く空洞に入る体験ができます。

② ほかにはどんな氷河の遺産があるの？

A 赤道付近にもあります。

アフリカ最高峰のキリマンジャロ（5,895m）を擁する**「キリマンジャロ国立公園」**（タンザニア）や、ペルーのワスカラン山（南峰6,768 m）は低緯度にありますが、氷河や万年雪、氷河湖が点在し、赤道付近とは思えない絶景が展開します。

キリマンジャロ山頂付近から見下ろす雲海。かつては巨大な氷河がありましたが、現在は風前の灯火といわれています。

ペルー最高峰のワスカラン山を含む広大な**「ワスカラン国立公園」**は、世界でもっとも高い国立公園のひとつでもあります。ビクーニャやメガネグマなど、絶滅危惧種の貴重な生息域でもあります。

アフリカ最高峰の独立峰・キリマンジャロのふもとにはサバンナが広がっています。

③ 氷河がつくった地形の世界遺産はある？

A フィヨルドの世界遺産もあります。

氷河が地表を削ったあとのU字型の谷に、海水が入り込んでできた入江がフィヨルドです。

ニュージーランドの世界遺産**「テ・ワヒポウナム-南西ニュージーランド」**を構成するフィヨルドランド国立公園には、14ものフィヨルドがあります。なかでもクルーズ客が多く訪れるのが、ミルフォード・サウンドです。

「四川ジャイアントパンダ保護区群」（中国）
四川省の7つの保護区と9つの公園には、全世界の約3割にあたるジャイアントパンダが保護されています。

「オカピ野生生物保護区」（コンゴ民主共和国）
20世紀初頭に発見された珍獣・オカピはキリンの仲間。保護区内には、世界の約6分の1が生息しているといわれます。

貴重な生物の保護区そのものが、世界遺産になっているケースもあります。

「コモド国立公園」（インドネシア）

コモド島を闊歩する世界最大のトカゲ、コモドオオトカゲ。研究が進み、恐ろしい捕食のメカニズムがわかってきました。

「オオカバマダラ生物圏保存地域」（メキシコ）

北米を縦断するチョウの越冬地のひとつ。ここでは、10億もの個体が鈴なりになって翅を休める姿を見ることができます。

「スマトラの熱帯雨林遺産」（インドネシア）

生物多様性ホットスポットの一部であるスマトラ島には、スマトラサイをはじめとした絶滅危惧種や固有種が生息します。

「タスマニア原生地域」（オーストラリア）

カンガルーなどの有袋類が生息するオーストラリアですが、タスマニアデビルが生息するのは、タスマニア島だけです。

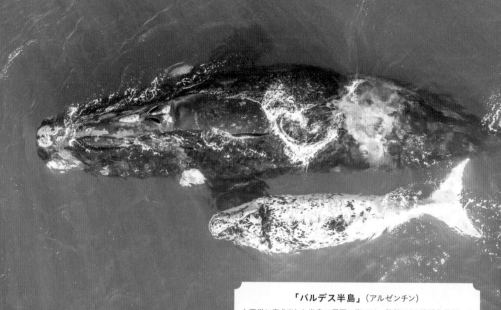

「バルデス半島」（アルゼンチン）

大西洋に突き出した半島の周囲の海では、繁殖にくる絶滅危惧種・ミナミセミクジラが、大切に保護されています。

「テ・ワヒポウナム-南西ニュージーランド」（ニュージーランド）

ニュージーランドには、キーウィ以外にも飛べない鳥がいます。クイナ科のタカヘもそのひとつ。南島だけに生息します。

Q 貴重な植物が守られている
世界遺産を教えて!

「ソコトラ諸島」には、樹液が赤いことから名づけられた竜血樹（リュウケツジュ）をはじめ、数多くの固有の動植物が自生・生息しています。

A

イエメンのソコトラ諸島には、
珍しい竜血樹が自生しています。

動植物を救い、守るために
世界遺産が貢献しています。

世界遺産の登録基準（x）は、生物多様性。
ユネスコの支援や国の政策にもとづき、
各国の世界遺産で貴重な動植物の保護が行われています。

Q 植物のサンクチュアリをほかにも教えて！

A セーシェルのメ渓谷自然保護区には、フタゴヤシが自生します。

インド洋に浮かぶ島国、セーシェルのプラスリン島の中心部に、固有の生物が多く棲む「メ渓谷自然保護区」があります。もっとも有名なのは、二股にわかれた不思議な実がなるフタゴヤシ（ココ・デ・メール）です。成長すると重さ20kgにもなり、"世界最大の実"ともいわれます。

フタゴヤシの実は、薬効があるとされて大量に採取され、数を減らしました。

コウスズミインコのなかまなど、貴重な鳥類も多く生息します。

フタゴヤシが自生する森。

サケを狩るヒグマ。知床は、ヒグマの生息密度が世界でもトップクラスといわれています。

② 日本にも、生物多様性で登録されている世界遺産はあるの?

A 知床が登録されています。

北海道の**「知床」**には、豊かな針広混合林と川の作りだす陸上生態系と、オホーツク海の海上生態系が互いに密接に関わりあう独特の生態系が見られます。そこでは、国の天然記念物であるシマフクロウやオジロワシ、オオワシなどの大型の猛禽類も観察できます。

③ 世界遺産の植物園があるって、ほんとう?

A 3か所が、登録されています。

世界最古・16世紀に設立された**「パドヴァの植物園(オルト・ボタニコ)」**(イタリア)、18世紀に国王の母の命で完成した**「キュー王立植物園」**(イギリス)、**「シンガポール植物園」**が世界遺産に登録されており、世界の植物研究に貢献してきました。

シンガポール植物園の広大な敷地には、国立ラン園(写真)や、植物の進化をたどりながら巡ることができる進化園などがあります。シンガポール唯一の世界遺産です。

Q 映画の舞台やモデルになった世界遺産を教えて！

ベルゲン（ノルウェー）の**「ブリッゲン」**は、
『アナと雪の女王』のアレンデールのモデル
となったといわれています。

A ベルゲンの町並みは、
　 映画『アナと雪の女王』の
　 舞台のモデルになりました。

創作家の想像力を掻き立ててきた 世界遺産の絶景や独特な景観。

観る者にインパクトを与えるような奇観は、
歴史劇やSF映画にピッタリ。
ですが、それは現代に限られたことではありません。
中世以降、数々の画家や音楽家、小説家が
世界遺産の恩恵を受けています。

Q 映画の舞台やモデルになった 世界遺産はほかにもある？

A 最近では、シュケリッグ・ヴィヒルが
「スター・ウォーズ」のロケ地になりました。

アイルランドの島 **「シュケリッグ・ヴィヒル」** に残る石積みの中世の修道院跡。「スター・ウォーズ」シリーズの、ルーク・スカイウォーカーの隠棲地のロケで使用されています。ほかに、「サウンド・オブ・ミュージック」の舞台となった **「ハルシュタット−ダッハシュタイン・ザルツカンマーグートの文化的景観」**（オーストリア）、「インディ・ジョーンズ　最後の聖戦」の舞台となった **「ペトラ」**（P.24）が有名です。

石積みの崩れかけた修道院跡が独特の景観をつくるシュケリッグ・ヴィヒルには、ミステリアスな雰囲気が漂います。

北アフリカの先住民、ベルベル人がイスラム勢力から身を守るためにつくった要塞村がモロッコの **「アイット−ベン−ハドゥの集落」**。「アラビアのロレンス」「ハムナプトラ／失われた砂漠の都」「グラディエーター」「バベル」と、ロケ地として引っ張りだこの人気です。

② 文学作品の舞台となった世界遺産はある?

A 「ピーターラビット」は、
イングランドの湖水地方を
背景に書かれました。

児童文学の古典「ピーターラビット」は、湖水地方を愛したビアトリクス・ポターによって、生み出されました。大劇作家・シェイクスピアは、デンマークの**「クロンボー城」**をモデルに『ハムレット』を、イタリアの**「ヴェローナ市」**をモデルに『ロミオとジュリエット』を書いたとされています。

「イギリス湖水地方」には、ノウサギのピーターラビットがひょっこり顔をのぞかせそうな、牧歌的な景観が広がっています。

③ オペラの舞台となった世界遺産はある?

A ワーグナーの『タンホイザー』の舞台がヴァルトブルク城です。

『タンホイザー』の正式名は、『タンホイザーとヴァルトブルクの歌合戦』です。主人公のタンホイザーは、ヴァルトブルクの歌合戦で、愛と快楽の神・ヴェーヌスを讃える歌を歌います。

「ヴァルトブルク城」（ドイツ）は、マルティン・ルターがかくまわれて『新約聖書』のドイツ語訳を完成させた場所でもあります。

★COLUMN★ 名画に描かれた世界遺産

日本の富士山は、葛飾北斎の『富嶽三十六景』で、さまざまな形で表現されました。西洋の名画に描かれた世界遺産として有名なのが、スペインの**「古都トレド」**です。ギリシャのクレタ島出身でスペインで活躍したエル・グレコは、異文化が融合したトレドに魅せられ、町の姿を独特の誇張表現で描き出しました。

エル・グレコの『トレドの風景』（メトロポリタン美術館）。

タホ川が取り囲む旧市街が世界遺産。エル・グレコ美術館もあります。

Q ロマンチックなストーリーのある世界遺産を教えて!

暗殺されたイネスの復讐を果たした
ペドロは、イネスとともに「**アルコバッ
サの修道院**」(ポルトガル)の墓所
に眠っています。

A アルコバッサの修道院は、
　ポルトガル王ペドロとドニャ・イネスの
　悲恋物語の舞台となりました。

妻の女官に恋をした
若き王太子の物語です。

14世紀、アフォンソ4世の跡継ぎ、ドン・ペドロは
父王の意向で嫁いできた王妃ではなく、
その女官イネスに惹かれます。
関係を絶たないペドロとイネスに業を煮やした父王は、
3人の刺客を送り込みイネスを暗殺します。
やがて王となったペドロは、刺客たちに復讐を果たし、
宿願を遂げるのです。

バロック様式のアルコバッ
サ修道院のファサード。

Q たった1人の女性のために作られた
世界遺産ってある？

A タージ・マハルは、亡き王妃のために建てられました。

ムガル帝国の第5代皇帝、シャー・ジャハーンは、王妃のムムターズ・マハルをともなって遠征に出ますが、王妃を
産褥熱で失ってしまいます。皇帝の悲しみは大きく、生涯癒えることはありませんでした。そんな皇帝が建設を命じ、
およそ20年の歳月をかけて完成させたのが、王妃の霊廟「タージ・マハル」です。

シャー・ジャハーンは、対岸に黒大理石の自身の霊廟を建てることを計画していましたが、かないませんでした。

② ギリシャ神話の神様を祀った世界遺産はある?

A 「アフロディシアス」には、アフロディーテ神殿があります。

アフロディーテはギリシャ神話の美の女神(ローマではヴィーナス)。2017年に世界遺産に登録されたトルコの**「アフロディシアス」**は、紀元前3世紀に建てられたアフロディーテ神殿と、その周辺の都市からなる遺跡です。また、キプロスの**「パフォス」**は、アフロディーテ生誕伝説の地のある世界遺産です。

アフロディーテ神殿。キリスト教を国教とした東ローマ帝国で、アフロディーテは異端の神でしたが、神殿は維持し続けました。

★COLUMN★
女性が主役の世界遺産

世界遺産には、女性の活躍により誕生し、守り伝えられてきた宮殿や城があります。

「シェーンブルン宮殿と庭園群」
(オーストリア)
ハプスブルク王朝に君臨した女帝、マリア・テレジアは、シェーンブルン宮殿をおもに夏の離宮として使いました。外壁のクリーム色は、マリア・テレジアが好んだ色です。

「サンクト・ペテルブルグ歴史地区と関連建造物群」(ロシア)
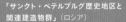
現在はエルミタージュ美術館となっているエルミタージュ宮殿の内部。ロマノフ王朝のエカチェリーナ2世は、膨大な数の美術品を収集して、美術館の基礎を築きました。

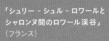

「シュリー‐シュル‐ロワールとシャロンヌ間のロワール渓谷」
(フランス)
シュノンソー城は、16世紀のディアーヌ・ド・ポワチエ以降、代々女性が城主を務めてきました。現在は観光客に開放されています。

Q 消失したり、破損したりした 場合はどうなるの？

A 自国政府や他国の援助で
　　修復されることがほとんどです。

人災や天災で損害を受けたものは、修復・復旧に努めてきました。

保全の仕方が適切でないと、傷んでしまう文化遺産。
思いもしない事故や自然災害で、
破壊されてしまうことも少なくありません。
そんなときは、ユネスコだけでなく、
世界中の人たちが手を差し伸べてくれます。

Q 火災にあったパリのノートルダム大聖堂は、どうなるの？

A 焼失前の姿に修復中です。

2019年4月、「パリのセーヌ河岸」の構成資産であるノートルダム大聖堂が炎に包まれる映像が、全世界を駆け抜けました。はっきりした原因は未だ不明ですが、修復工事の際の火の不始末ともいわれています。全世界からの多額の寄付も集まり、修復工事が進められています。

火災では、木組み構造の身廊・翼廊の屋根部分はほぼ全焼、尖塔が崩壊しました。現在、修復工事が進んでいます。

火災前のノートルダム大聖堂。フランス革命でも破壊されましたが、作家ヴィクトル・ユーゴーの『ノートルダム・ド・パリ』の発行は復興運動を後押しし、建築家のヴィオレ・ル・デュクらによって修復されました。

② ほかにも、焼失してしまった遺産はある?

A ブガンダ王墓が焼失してしまいました。

ウガンダ国内にある地方王国のうち、ブガンダの歴代王の墓所群が、**「カスビのブガンダ王国歴代国王の墓」**として世界遺産に登録されています。2010年3月、放火によって王墓の中心施設が全焼してしまいましたが、ユネスコ主導の再建プロジェクトのもと、修復が進められています。

焼失後、危機遺産に登録。修復工事には、日本の文化財保存専門家も協力をしています。

③ 自然災害で損害を被った遺産はあるの?

A 大地震で建物が倒壊した遺産は少なくありません。

ネパールのカトマンズ盆地にある3つの古都が**「カトマンズの谷」**として世界遺産に登録されています。太古の昔は湖の底だったこともあり地盤が弱く、地震が頻発するエリアです。古都のひとつバクタプルは、2015年のネパール地震で大きな被害を受け、建物のほとんどが損壊したとされています。

世界遺産に登録されている文化財の建物は、コンクリート製ではなく耐震補強も十分ではないことが多く、地震の被害にあってきました。イタリアの**「アッシージ、聖フランチェスコ聖堂と関連遺跡群」**、イランの**「バムとその文化的景観」**はその一例です。

スマトラ沖地震で大きな津波が押し寄せたにも関わらず、旧市街を取り囲む植民地時代の城壁によって被害を免れた**「ゴール旧市街とその要塞群」**(スリランカ)は幸運な例かもしれません。

現在も修復が続くバクタプル。

★COLUMN★ **世界遺産基金での緊急援助**

損害を受けた世界遺産のなかには、保有国がその修復費を捻出できないケースもあります。そのような場合には、世界遺産基金を用い、ユネスコが緊急援助を行います。タリバンに破壊された**「バーミヤン渓谷の文化的景観と古代遺跡群」**(アフガニスタン)の修復などは、その対象です。なお世界遺産基金は、世界遺産条約締結国が2年に1度、分担金を支払って運用される基金で、緊急援助だけでなく、世界遺産リストへの登録に向けた準備援助などにも活用されます。

タリバンによって激しく破壊されたバーミヤンの大仏。

写真で見る 世界遺産の美しい橋

「ポン・デュ・ガール（ローマの水道橋）」（フランス）
古代ローマ時代の水道橋は、水源から供給地までの高低差17mを利用して、約50kmにわたって水を引いていました。

「モスタル旧市街の古橋地区」（ボスニア・ヘルツェゴビナ）
オスマン帝国支配時に架けられたトルコ式のアーチ橋は、2004年、ボスニア紛争での破損から復活しました。

古代から現代までの技術の粋を集めて造られた、歴史的意義のある橋です。

「ビスカヤ橋」（スペイン）
船を妨げないように高く掲げられた橋げたが特徴的。ゴンドラで人や車を運ぶ仕組みは、当時、世界初の試みでした。

「フォース橋」（イギリス）
カンチレバーという構造が生みだす独特のシルエットが魅力的な鉄道橋は、過去の落橋事故を教訓に建設されました。

Q

日本の世界遺産の数は？

雪景色の岐阜県白川郷。「白川郷・五箇山の合掌造り集落」は 1995 年に
登録されました。

A
2020年現在で、23件です。

日本の世界遺産はこれからも増えていくでしょう。

日本の世界遺産条約締結は、
意外と遅く世界で125番目の1992年。
ほぼ毎年のように登録が増え、
保有する都道府県も1都1道2府23県に及びます。

日本初の世界遺産はなに？

A　1993年に登録された4件です。

文化遺産として奈良県の**「法隆寺地域の仏教建造物」**、兵庫県の**「姫路城」**の2件、自然遺産として鹿児島県の**「屋久島」**、青森県・秋田県の**「白神山地」**が一度に登録されました。

屋久島には1000m以上の山が連なり、垂直方向の環境の違いが大きいため、「独自の生態系（ix）」でも評価されています。また、ヤクシカやヤクザルといった固有亜種も生息します。

屋久島は、日本の自然遺産で唯一、「自然美（vii）」が評価されて世界遺産に登録されています。屋久島の森の中に自生するスギの中で、樹齢1000年以上のものを"屋久杉"といいます。

手つかずのブナ林が形づくる生態系が評価された白神山地は、入山が厳しく制限されています。世界遺産エリアの近くにある十二湖のひとつ、鶏頭場（けとば）の池に紅葉が鏡のように映るさまは、絶景です。

人類の創造的資質の傑作として評価された姫路城は、2015年、平成の修理を終え、白漆喰でより白く輝く姿によみがえりました。

「法隆寺地域の仏教建造物」のひとつ、法起寺（ほっきじ）。境内に残る三重塔は創建当時から残る建物で、日本最古・最大級の三重塔でもあります。

② 日本が次に登録を目指しているのは、どこ？

A 「奄美大島、徳之島、沖縄島北部及び西表島」です。

2018年にIUCNから登録延期を勧告されましたが、2020年の委員会での審議が決まっていました。同年の委員会は新型コロナウイルス蔓延のため中止されましたが、2021年に2年分あわせて、開催される予定になっています。日本からは、**「北海道・北東北の縄文遺跡群」**（北海道・青森県・岩手県・秋田県）も審議される予定です。

「奄美大島、徳之島、沖縄島北部及び西表島」には、ルリカケス（写真）、ヤンバルクイナ、アマミノクロウサギ、イリオモテヤマネコなど、多くの絶滅危惧種が生息しており、登録基準（x）での登録を目指しています。

Q

富士山は
どうして文化遺産なの?

富士山は当初、自然遺産での登録を目指しましたが、自然遺産の要件を満たす根拠に乏しいことから、登録は難しいと判断。文化遺産としての登録に切り替えました。

A

日本古来の信仰と芸術に
深く結びついているからです。

富士山の世界遺産登録には、紆余曲折がありました。

"信仰の対象と芸術の源泉"を前面に出し、
2013年、世界遺産の仲間入りをした富士山。
三保の松原が構成資産から外されそうになりましたが、
富士山域だけではなく、山中湖・河口湖、忍野八海、白糸の滝など、
25の構成資産で成り立っています。

① 推薦後の現地調査には、誰が来ているの？

A ICOMOSやIUCNが派遣する
専門知識のある調査員です。

文化遺産の場合は、ICOMOS（P.16）が派遣する調査員が1人ですべての構成資産をまわり調査をするのが原則です。富士山の場合は、調査員が1人で富士山登頂を含め、25の構成資産すべてを調査しましたが、文化庁や山梨県・静岡県の担当職員がサポートをしていたようです。自然遺産の場合は、IUCNが手配する複数の調査員が、各専門分野の調査を担当します。

② 三保の松原が構成資産から外されそうだったのは、どうして？

A 「富士山から遠い」という理由からです。

三保の松原は、富士山から離れているため富士山の完全性を証明する資産にはあたらないと判断され、構成資産から外すようにICOMOSから勧告されましたが、最終的には世界遺産委員会で構成資産入りが認められました。

駿河湾越しに富士山をのぞむ景勝地・三保の松原。近年は松の減少や海岸線の減退が問題視されています。

③ Q 世界中の聖なる山も、世界遺産なの?

A 形状が富士山そっくりの
ナウルホエ山などが世界遺産です。

古来、山を信仰の対象としてきた民族は少なくありません。

「スライマン-トー聖山」
登録名にある通り、キルギスのスライマン-トーは、まさに聖なる山です。中央アジア地域で崇拝の対象になってきた霊峰の代表例とみなされ、文化的景観として世界遺産になっています。

「トンガリロ国立公園」
稜線が富士山に似たナウルホエ山、公園内最高峰のルアペフ山、トンガリロ山といった火山を擁するニュージーランドの国立公園です。先住民マオリの祈りの対象ともなっており、複合遺産に登録されています。

★COLUMN★
サブタイトルが語る世界遺産

富士山は当初、自然遺産での登録を目指しましたが、IUCNからの指摘もあり、文化遺産での登録を目指すことになります。その場合、単に「富士山」では自然遺産と誤解される可能性もあると指摘され、サブタイトルをつけ、最終的に**「富士山－信仰の対象と芸術の源泉」**に落ち着きました。

富士宮市に鎮座する富士山本宮浅間大社の拝殿。木花之佐久夜毘売命（このはなのさくやひめのみこと）を主祭神としており、富士山信仰の象徴ともいえる構成資産です。

Q 無形文化遺産ってなに？

「ワヤン人形劇」は、インドネシア伝統
の影絵芝居です。「マハーバーラタ」や
「ラーマーヤナ」などが上演されます。

A 民俗文化財、口承伝統などの
　無形文化財を保護対象とした、
　ユネスコの事業のひとつです。

形のないものも、
守らなければ消えていきます。

音楽、舞踏、祭り、儀式、伝統的な習慣、工芸、食文化……。
有形文化財を対象とする世界遺産に対して、
幅広いジャンルにわたる無形文化財を保護するのが無形文化遺産。
世界遺産と同様、ユネスコの事業のひとつです。

Ｑ ほかにはどんな無形文化遺産があるの？

Ａ たとえば鷹狩は、各大陸の18の国が共同で登録しています。

タカやワシ、ハヤブサなどの猛禽類を飼いならし、獲物を捕獲する**「鷹狩」**は、アラブ首長国連邦などのアラブ・中東諸国、カザフスタンやモンゴルといった中央アジア、オーストリアやスペインなどのヨーロッパ、韓国、モロッコなど、世界各地に根付いた伝統です。

モンゴルの鷹狩。鷹狩は、アジアの遊牧民族発祥の狩猟法といわれています。

2020年12月、日本でもおなじみのフィンランド・サウナが、**「フィンランドのサウナ文化」**として無形文化遺産に仲間入り。実は、隣国エストニアの**「ヴォル県のスモーク・サウナの伝統」**が、一足先に登録されていました。

民族的な儀式が数多く登録されているのがメキシコ。**「ボラドーレスの儀式」**は、高さ約30メートルのポール上で、4人がロープにぶら下がり、回転しながら地上まで降下する儀式です。一説には雨ごいの儀式とされています。

「インドネシアのバティック」は、布に蝋を塗って着色し、蝋の部分を染め抜く「ろうけつ染め」の一種です。

② 料理が登録されているって、どういうこと？

A 「食」は、行事や儀式、習慣と密接にかかわるからです。

和食やフランス料理、メキシコの伝統料理など、食に関する無形文化遺産は少なくありません。共通していえるのは、その国や民族の文化と深く結びついているということ。個別の料理品目が対象なのではなく、古くから守り伝えられてきた、その伝統が対象なのです。

イタリアの**「ナポリピッツァの職人技」**も、無形文化遺産です。ピッツァ職人は伝統的な徒弟制度で、名人は"マスター・ピッツァイオーロ"と呼ばれます。

★COLUMN★ ## 無形文化遺産にも登録抹消がある

2010年に無形文化遺産に登録されたベルギーの**「アールストのカーニバル」**は、毎年、内外の政治家たちを風刺対象としています。風刺はするが、差別ではなく、だれも傷つけないとアールスト市側は主張していますが、反ユダヤ主義的な山車が登場した、という理由から、2019年の無形文化遺産保護条約政府間委員会での登録抹消が決まりました。表現の自由の範囲内か差別か、その判断は難しいですが、ユネスコの掲げる"世界の平和"と逆行する行為への強い意思を感じることができます。

「壬生の花田植」

毎年6月の第一日曜日に、広島県北広島町で行われる伝統行事です。
美しく装った飾り牛による「代掻（しろか）き」が見どころです。

「小千谷縮・越後上布」

新潟県の魚沼地方は、上質の麻織物の産地でした。繊維を雪の上で
漂白する小千谷縮の晒（さらし）は、雪国ならではの手法です。

日本の無形文化遺産は全部で22件。ここでは、年中行事、伝統芸能、伝統工芸をセレクトしました。

「来訪神」（なまはげ）

仮面・仮装姿の来訪神が、正月などに各家庭を訪れる年中行事として登録。秋田県男鹿市のなまはげは、特に有名です。

「雅楽」

日本古来の音楽や舞と、大陸からもたらされた音楽や舞とが、平安時代に日本独自の様式に整えられた音楽と舞の総称が雅楽です。

アンネ・フランクが残した『アンネの日記』は、第二次世界大戦の悲劇を今に伝える史料として、「世界の記憶」に選定されています。

Q「世界の記憶」ってなに？

A 世界的に重要な意味を持つできごとの
　記録物を保護するための、
　ユネスコの選定事業です。

教育・科学・文化の発展のため、ユネスコが手がけています。

「世界の記憶」は、「世界の記録」ともいえる
ユネスコの選定事業です。
日本では、「慶長遣欧使節関係資料」「御堂関白記」
「山本作兵衛炭鉱記録画・記録文書」などの計7点が選定されています。
そのほかに、持続可能な自然を目指す取り組みのユネスコエコパークや世界ジオパークも、
ユネスコ主導で行われています。

Q 「世界の記憶」には、ほかになにがある?

A 古文書、石碑、楽譜、映画のネガフィルムなどです。

世界の歴史に重大な影響を与えた事件・時代・場所・人物などが記録された物として、幅広い手法、メディアの
記録が選定されています。

インドネシアの「ボロブドゥル遺跡の保護記録」は、インドネシア独立後に崩壊しかけていた世界遺産「ボロブドゥル寺院遺跡群」を、
ユネスコ主導で修復した際の記録です。この修復工事には、日本も資金提供をしており、その後の技術協力の礎をつくりました。

② ユネスコの、ほかの取り組みも教えて！

A 「公海の世界遺産」「ユネスコエコパーク」などです。

どの国の領海にも属さない公海の資産を対象にした「公海の世界遺産」、生物多様性の保護を目的に設立された「ユネスコエコパーク（生物圏保存地域）」、地球科学的な価値を持つ遺産の保全を目的とした「世界ジオパーク」、文学・映画・音楽・工芸・デザイン・メディアアート・食文化の創造産業7分野から、世界でも特色ある都市を認定する「創造都市ネットワーク」などがあります。

「公海の世界遺産」の候補地のひとつ、**「ホワイトシャーク・カフェ」**は、太平洋上にある、絶滅危惧種のホホジロザメの最大の生息域です。「公海の世界遺産」には課題が多く、未だに計画段階にとどまっています。

「ユネスコエコパーク」の多くは世界自然遺産と重複していますが、南フランスの三角州、**「カマルグ」**は、世界遺産には登録されていません。半野生化した「カマルグの白い馬」で有名です。

★COLUMN★ **"ユネスコの三冠制覇"とは？**

世界遺産、無形文化遺産、世界の記憶。ユネスコの三大遺産事業のすべてに登録・選定されている遺産があります。朝鮮・韓国の歴代の国王・王妃・功臣などを祀る**「宗廟」**です。正殿を中心とした建築物が世界文化遺産に、**「宗廟先祖のための儀礼および祭礼音楽」**が無形文化遺産に登録。世界の記憶に選定された**「朝鮮王朝の王室印章と冊封書のコレクション」**が神室に収蔵されているため、世界初の偉業となりました。

毎年5月第1日曜日に行われる儀礼の様子。

片岡英夫セレクト

世界遺産 BEST100

すでに400件近くの世界遺産を訪れた片岡英夫さん。
感銘を受けた世界遺産、これから行ってみたい世界遺産を100件、選んでいただきました。
みなさんが行ったことがある世界遺産はありますか？

	No.	世界遺産名	国名
☐	1	韓国の歴史的集落群：河回と良洞	韓国
☐	2	九寨溝の渓谷の景観と歴史地域	中国
☐	3	福建の土楼　→ P.151	中国
☐	4	チャン・アン複合景観　→ P.51	ベトナム
☐	5	ルアン・パバンの町	ラオス
☐	6	アンコール　→ P.24	カンボジア
☐	7	バガン　→ P.101	ミャンマー
☐	8	ボロブドゥル寺院遺跡群　→ P.148	インドネシア
☐	9	アジャンター石窟群	インド
☐	10	タージ・マハル　→ P.124	インド
☐	11	ハンピの建造物群	インド
☐	12	古代都市シギリヤ　→ P.73	スリランカ
☐	13	ゴール旧市街とその要塞群	スリランカ
☐	14	サマルカンド - 文化交差路　→ P.158	ウズベキスタン
☐	15	ペルセポリス　→ P.63	イラン
☐	16	イスファハンのイマーム広場	イラン
☐	17	ソコトラ諸島　→ P.114	イエメン
☐	18	シバームの旧城壁都市	イエメン
☐	19	ペトラ　→ P.24	ヨルダン
☐	20	エルサレムの旧市街とその城壁群　→ P.40	エルサレム
☐	21	マサダ	イスラエル
☐	22	イスタンブール歴史地域　→ P.24	トルコ
☐	23	ヒエラポリス - パムッカレ　→ P.50	トルコ
☐	24	ギョレメ国立公園とカッパドキアの岩窟群　→ P.25	トルコ

	No.	世界遺産名	国名
☐	25	メンフィスとその墓地遺跡 - ギーザからダハシュールまでのピラミッド地帯　→ P.33	エジプト
☐	26	アブ・シンベルからフィラエまでのヌビア遺跡群　→ P.10	エジプト
☐	27	レプティス・マグナの古代遺跡	リビア
☐	28	ガダーミスの旧市街　→ P.161	リビア
☐	29	ドゥッガ / トゥッガ	チュニジア
☐	30	タッシリ・ナジェール	アルジェリア
☐	31	アイット - ベン - ハドゥの集落　→ P.120	モロッコ
☐	32	フェス旧市街　→ P.20	モロッコ
☐	33	マラケシ旧市街	モロッコ
☐	34	ラリベラの岩窟教会群	エチオピア
☐	35	バンディアガラの断崖（ドゴン人の地）	マリ
☐	36	ジェンネ旧市街	マリ
☐	37	ンゴロンゴロ保全地域	タンザニア
☐	38	モシ・オ・トゥニャ／ヴィクトリアの滝	ザンビア・ジンバブエ
☐	39	オカバンゴ・デルタ　→ P.29	ボツワナ
☐	40	ナミブ砂海	ナミビア
☐	41	チンギ・デ・ベマラ厳正自然保護区	マダガスカル
☐	42	メ渓谷自然保護区　→ P.116	セーシェル
☐	43	ウルル - カタ・ジュタ国立公園　→ P.70	オーストラリア
☐	44	フレーザー島	オーストラリア
☐	45	パーヌルル国立公園　→ P.18	オーストラリア
☐	46	テ・ワヒポウナム - 南西ニュージーランド　→ P.109	ニュージーランド
☐	47	ニューカレドニアのラグーン：リーフの多様性とその生態系	フランス領ポリネシア
☐	48	南ラグーンのロックアイランド群　→ P.151	パラオ
☐	49	ナン・マドール：東ミクロネシアの儀式の中心地　→ P.20	ミクロネシア

◎ 行ったことのある世界遺産にチェックをしましょう。

「福建の土楼」
（中国）

福建土楼は中国南部の山奥にひっそりと佇む要塞型の巨大な集合住宅。ユニークな姿は円形・楕円形・方形とさまざま。共同生活を送れるように機能的に工夫され、大家族がひとつの村を形成しています。今でも、伝統的な生活感があふれていました。

「ガダーミスの旧市街」
（リビア）

チュニジアとの国境に近いサハラ砂漠のオアシス都市ガダーミスは、サハラ交易で重要な役割を果たした隊商都市。遊牧民トゥアレグ族によって建設されたイスラム風の、青い空に映える白壁が美しい迷宮都市を、いつかぜひ歩いてみたい！

「南ラグーンの
　ロックアイランド群」
（パラオ）

パラオの美しいサンゴ礁は、多様性に満ちた海洋生物の貴重な生息地。大型のマンタやカラフルな熱帯魚が舞う数々のダイバー垂涎のポイントもあります。無数のクラゲが浮遊するジェリーフィッシュレイクは、ほかのどこにもないスポットです。

キジ島（ロシア）にて

ハルシュタット（オーストリア）にて

「アッパー・
　スヴァネティ」
（ジョージア）

コーカサス地方は古来より文明の十
字路。スヴァネティ地方は、迷路の
ような街並みに、にょきにょきと林
立するコシキと呼ばれる防御塔が
中世の面影を残します。白い氷河
をかぶった山脈に抱かれたウシュグ
リ村は、秘境の絶景世界遺産です!

「キジ島の木造教会」
（ロシア）

キジ島に上陸すると、玉葱屋根が
銀の炎のごとく緑の草原の中から
忽然と現れ、輝きます。特に、釘
を使わず建てられた美しく精緻なプ
レオブラジェンスカヤ教会は見事!!
修復は現代技術でも難しいといい
ます。先人たちの叡智の結晶に、
ただただ感動です。

「古代都市
　チチェン-イッツァ」
（メキシコ）

「聖なる泉のほとりの水の魔法使い」
を意味するチチェン-イッツァは、天
文台・球戯場・地下泉セノーテを
有するマヤ文明都市。密林から突
然姿を表す神殿ピラミッドには、度
肝を抜かれました。この神殿では、
春分・秋分の日の年2回、神秘の
現象が見られます。

世界遺産 データ

世界遺産の数

総数‥‥‥‥‥‥‥‥‥‥‥ 1,121 件
文化遺産‥‥‥‥‥‥‥ 869 件（77.5%）
自然遺産‥‥‥‥‥‥‥ 213 件（19%）
複合遺産‥‥‥‥‥‥‥‥ 39 件（3.5%）

危機遺産‥‥‥‥‥‥‥‥ 53 件（約5%）

無形文化遺産の数

総数‥‥‥‥‥‥‥‥‥‥‥ 584 件
代表リスト‥‥‥‥‥‥‥‥ 492 件
緊急保護リスト‥‥‥‥‥‥‥ 67 件
グッド・プラクティス[2] ‥‥‥‥25 件

2010～2019年の10年間の 登録数国別ランキング

1 位‥‥‥ 17 件 中国
2 位‥‥‥ 14 件 イラン
3 位‥‥‥ 12 件 ドイツ、フランス
5 位‥‥‥ 11 件 インド
6 位‥‥‥‥9 件 イタリア、トルコ、日本

無形文化遺産登録数 国別ランキング

1 位‥‥‥ 42 件 中国
2 位‥‥‥ 23 件 フランス
3 位‥‥‥ 22 件 日本
4 位‥‥‥ 21 件 韓国
5 位‥‥‥ 20 件 スペイン、トルコ

ユネスコ遺産事業の数

世界遺産 ‥‥‥‥‥‥‥‥ 1,121 件
無形文化遺産‥‥‥‥‥‥‥‥ 584 件
世界の記憶‥‥‥‥‥‥‥‥‥ 427 件
ユネスコエコパーク‥‥‥‥‥‥ 714 件
ユネスコ世界ジオパーク‥‥‥‥ 161 件
創造都市 ‥‥‥‥‥‥‥‥ 246 都市
ユネスコ世界危機言語アトラス[1]
‥‥‥‥‥‥‥‥‥ 2,724 言語

「世界の記憶」 保有数国別ランキング

1 位‥‥‥ 23 件 ドイツ
2 位‥‥‥ 22 件 イギリス
3 位‥‥‥ 17 件 ポーランド
4 位‥‥‥ 16 件 オランダ、韓国

※1 **ユネスコ世界危機言語アトラス**
ユネスコが、母語話者がいなくなりつつある消滅危機言語をリストアップした地図のこと。日本のアイヌ語、八重山語、与那国語、八丈語、奄美語、国頭語（くにがみご）、沖縄語、宮古語も掲載されています。

※2 **グッド・プラクティス**
無形文化遺産の保護活動の、模範的な実践例が選定され、まとめられた登録簿のこと。

日本の世界遺産 23件

- ● 法隆寺地域の仏教建造物 …… 奈良県
- ● 姫路城 …………………… 兵庫県
- ● 屋久島 …………………… 鹿児島県
- ● 白神山地 ………… 青森県・秋田県
- ● 古都京都の文化財（京都市、宇治市、大津市）
  ………………………… 京都府・滋賀県
- ● 白川郷・五箇山の合掌造り集落
  ………………………… 岐阜県・富山県
- ● 原爆ドーム …………………… 広島県
- ● 厳島神社 …………………… 広島県
- ● 古都奈良の文化財 …………… 奈良県
- ● 日光の社寺 …………………… 栃木県
- ● 琉球王国のグスク及び関連遺産群
  ………………………………… 沖縄県
- ● 紀伊山地の霊場と参詣道
  ……… 三重県・奈良県・和歌山県
- ● 知床 ………………………… 北海道
- ● 石見銀山遺跡とその文化的景観 … 島根県
- ● 小笠原諸島 ………………… 東京都
- ● 平泉
  - 仏国土（浄土）を表す建築・庭園及び
  考古学的遺跡群 - ……………… 岩手県
- ● 富士山 - 信仰の対象と芸術の源泉 -
  山梨県・静岡県
- ● 富岡製糸場と絹産業遺産群 … 群馬県
- ● 明治日本の産業革命遺産
  製鉄・製鋼、造船、石炭産業
  …… 福岡県・佐賀県・長崎県・熊本県・
  鹿児島県・山口県・岩手県・静岡県
- ● ル・コルビュジエの建築作品
  - 近代建築運動への顕著な貢献 -
  ………………………………… 東京都
- ● 「神宿る島」宗像・沖ノ島と関連遺産群
  ………………………………… 福岡県
- ● 長崎と天草地方の潜伏キリシタン関連遺産
  ………………………… 長崎県・熊本県
- ● 百舌鳥・古市古墳群 - 古代日本の墳墓群 -
  ………………………………… 大阪府

日本の無形文化遺産 22件

- ● 能楽
- ● 人形浄瑠璃
- ● 歌舞伎
  （伝統的な演技演出様式によって上演される歌舞伎）
- ● 雅楽
- ● 小千谷縮・越後上布 ………… 新潟県
- ● 奥能登のあえのこと ………… 石川県
- ● 早池峰神楽 …………………… 岩手県
- ● 秋保の田植踊 ………………… 宮城県
- ● チャッキラコ ………………… 神奈川県
- ● 大日堂舞楽 …………………… 秋田県
- ● 題目立 ……………………… 奈良県
- ● アイヌ古式舞踊 ……………… 北海道
- ● 組踊 ………………………… 沖縄県
- ● 結城紬 …………… 茨城県・栃木県
- ● 壬生の花田植 ………………… 広島県
- ● 佐陀神能 …………………… 島根県
- ● 那智の田楽 ………………… 和歌山県
- ● 和食：日本人の伝統的な食文化
- ● 和紙：日本の手漉和紙技術
  ………… 島根県・岐阜県・埼玉県
- ● 山・鉾・屋台行事
  ……… 青森県・茨城県・京都府など
- ● 来訪神：仮面・仮装の神々
  ……… 秋田県・石川県・沖縄県など
- ● 伝統建築工匠の技：
  木造建造物を受け継ぐための伝統技術

日本の「世界の記憶」7件

- ● 山本作兵衛炭坑記録画・記録文書
- ● 御堂関白記
- ● 慶長遣欧使節関係資料
- ● 舞鶴への生還　1945～1956 シベリア
  抑留等日本人の本国への引き揚げの記録
- ● 東寺百合文書
- ● 上野三碑
- ● 朝鮮通信使に関する記録

おわりに

「世界遺産の教室」をお読みいただき、ありがとうございました。

新しい発見はありましたか?

世界遺産にもっと興味をもっていただけましたか?

どの世界遺産も、その国を代表する自然や文化です。

あえて言えば、豊かな地球と異文化の象徴です。

つまり「世界遺産」を知るということは、異文化理解であり、

ひいてはそれが世界平和につながっていくのです。

この「地球の宝物」である世界遺産を伝え守ることが、

現在生きている我々の使命でもあります。

「世界遺産」に登録された価値を知って、

「世界遺産」を訪れてみてください。

地球の自然の大いなる優しさ、

先人たちが築いてきた営みの息吹を、感じることができるでしょう。

片岡 英夫

★ **片岡 英夫（世界遺産検定マイスター）**

千葉県出身。青山学院大学経済学部卒業。世界遺産アカデミー認定講師。道の駅オライはすぬま観光大使。世界遺産検定マイスタープロジェクト（WHMP）実行委員。2002年、「海外・旅行地理検定試験」1級試験で日本一位を獲得し、以後5期連続日本一（通算22回）になり、2005年、初代の海外・旅行地理名誉博士の認定を受ける。また世界旅行地理検定上級試験でも、2021年、初代の最高得点賞を獲得した。さらに、世界遺産検定最高峰の「世界遺産検定マイスター」に、2008年冬に第一期生で合格。400件近くの世界遺産を見聞し、全国各地の大学等や生涯教育講座など多数の講座を通して世界遺産の啓発活動に携わっている。世界一周の客船内での地球航海洋上講演、ツーリズムEXPOジャパンなどのビッグイベントでの講演も高評価を受ける。NHK「脳の力」、「99人の壁」等、テレビ・ラジオ番組に多数出演。

（エル・グレコの『トレドの風景』）
P122：©Alamy Stock Photo/amanaimages
P125：©francesco vaninetti/robertharding/amanaimages
　　　（シュノンソー城）
P126：©JUNKO TAKAHASHI/a.collectionRF/amanaimages
P132：©TAKASHI NISHIKAWA/a.collectionRF/amanaimages
P136：©JP/amanaimages
P140：©MASASHI HAYASAKA/SEBUN PHOTO/amanaimages
P144：©NORIKATSU ENDO/SEBUN PHOTO/amanaimages
　　　（壬生の花田植）
　　　©HIDEKAZU OGAWA/SEBUN PHOTO/amanaimages
　　　（小千谷縮）
P146：©Alamy Stock Photo/amanaimages
P149：©Todd Winner/Stocktrek Images/amanaimages
　　　（ホワイトシャーク・カフェ）
　　　©KPG/amanaimages（宗廟）
＊そのほかの写真は、Adobe Stock

参考文献
・『世界遺産年報 2018』講談社
・『すべてがわかる世界遺産大事典＜上＞＜第 2 版＞
　世界遺産検定 1 級公式テキスト』 マイナビ出版
・『すべてがわかる世界遺産大事典＜下＞＜第 2 版＞
　世界遺産検定 1 級公式テキスト』 マイナビ出版

「サマルカンド－文化交差路」（ウズベキスタン）のレギスタン広場

世界でいちばん素敵な
世界遺産の教室

2021年4月1日　第1刷発行
2024年6月1日　第5刷発行

監修	片岡英夫（世界遺産検定マイスター）
写真	アマナイメージズ、Adobe Stock、 世界遺産イェーイ!、123RF
装丁	公平恵美
デザイン	関口暁（サティスフィールド）
編集・文	石川守延（サティスフィールド）
協力	世界遺産検定マイスタープロジェクト（WHMP） 上坂日登美、松浦敬、伊勢谷直彦、土屋優果、鈴木かの子、鈴木沙菜絵 工藤政太郎

「パンタナル保全地域」（ブラジル）

発行人	塩見正孝
編集人	神浦高志
販売営業	小川仙丈
	中村崇
	神浦絢子
印刷・製本	図書印刷株式会社
発行	株式会社三才ブックス
	〒101-0041
	東京都千代田区神田須田町2-6-5 OS'85ビル 3F
	TEL：03-3255-7995
	FAX：03-5298-3520
	http://www.sansaibooks.co.jp/
mail	info@sansaibooks.co.jp
facebook	https://www.facebook.com/yozora.kyoshitsu/
Twitter	@hoshi_kyoshitsu
Instagram	@suteki_na_kyoshitsu